シュガーアップル・フェアリーテイル

銀砂糖師と水の王様

三川みり

17623

角川ビーンズ文庫

CONTENTS

シュガーアップル・フェアリーテイル
銀砂糖師と水の王様

シュガーアップル・フェアリーテイル

STORY&CHARACTERS

今までのおはなし

王家が500年間秘匿していた、銀砂糖妖精の技術を受け継いだ銀砂糖師のアン。彼女はヒューの号令のもと、キャットとキースと協力して銀砂糖妖精見習いを育てることに。妖精たちの技術のお披露目も上々の結果で、妖精たちの工房は順調にいくかに思えた。その矢先、ミスリルが倒れてしまう。ミスリルの命を繋げるため、瀕死の状態から甦ったラファルを探すことを決めたアンだが…！？

妖精のための砂糖菓子工房

王命で銀砂糖妖精を育てることに。ヒューの監督下でアン、キャット、キースは妖精の指導にあたる。

砂糖菓子職人
キース

銀砂糖師
キャット

砂糖菓子職人の3大派閥

3大派閥……砂糖菓子職人たちが、原料や販路を効率的に確保するため属する、3つの工房の派閥のこと。

銀砂糖子爵
ヒュー

ラドクリフ工房派
工房長
マーカス・ラドクリフ

マーキュリー工房派
工房長
ヒュー・マーキュリー
（兼任）

ペイジ工房派
工房長
グレン・ペイジ

砂糖菓子職人
ステラ・ノックス

工房長代理 銀砂糖師
ジョン・キレーン

工房長代理 銀砂糖師
エリオット・コリンズ

本文イラスト／あき

ねぇ、ママ。お話して。

うん、なんでもいい。お話が聞きたい。あっ、でも。哀《かな》しいお話とか怖《こわ》いお話はいや。面白《おもしろ》いお話とか、楽しいお話とかがいい。哀しいことがあっても最後には、「そして二人は、いつまでも幸せに暮らしました」って終わるお話がいいな。

うん、二人。最後にひとりぼっちなんじゃ、どんなにお金があってもおっきな家に住んでても、幸せじゃないもん。だから二人、できればいっぱいがいいな。

それに、だいたいのお話の最後には、二人はいつまでも幸せにって言うよね。ママがしてくれたお話、いっぱい覚えてるんだもん。

おじいさんとおばあさんが、青い子猫《こねこ》を拾うお話とか。王子様が悪い魔法使《まほうつか》いに呪《のろ》いをかけられるけど、最後にはお姫様《ひめ》と幸せになるお話とか。兄弟のお話もあるよね！　靴《くつ》作りの兄弟のお話。あのお話、大好き！

でも今日は、別のお話を聞きたい。今まで、聞いたことないお話を聞きたい。

聞かせてよママ。わたしの知らない、おとぎ話。

一章　銀砂糖師である意味

「見ろ！　俺様の、この華麗《かれい》な復活ぶり！」

広い玄関《げんかん》ホールに仁王立《におうだ》ちして、湖水の水滴《すいてき》の妖精《ようせい》ミスリル・リッド・ポッドは腰《こし》に手を当てふんぞり返り、はははははっと高笑いした。

ホリーリーフ城内に響《ひび》き渡《わた》るような大声に、仕事にとりかかろうとしていた妖精たちが数人、何事かと作業場から顔を覗《のぞ》かせる。

「おうっ！　おまえら、今日も素晴《すば》らしい一日だな！　がんばれよ！　やっほーっ！」

陽気に手を振《ふ》るミスリルのはしゃぎぶりに、顔を出した妖精たちは目を丸くした。

ぴょんぴょん跳《は》ねて手を振り続けるミスリルの前に、アンは慌《あわ》てて立ちはだかった。妖精たちの視線からミスリルを遮《さえぎ》り、顔を引きつらせながら釈明《しゃくめい》する。

「はははは……はは。ごめんね！　気にしないで、仕事を続けていいよ。今朝はちょっと、いろいろ食べちゃったもんだから～」

「俺様はすこぶる気分がいい！」

これは元気がいいというよりも、もはや躁《そう》状態だ。

ミスリルは初夏からの二ヶ月間、急速に弱っていたらしい。普段《ふだん》と変わらず振る舞《ま》ってはいたが、体はかなりつらかったのだろう。

昨夜ミスリルが気を失ったことによって、アンたちは全員彼の寿命《じゅみょう》を知った。アンはミスリルの命を、このまま諦《あきら》めたくなかった。

そこで急遽《きゅうきょ》、アンとキース、キャットの三人がほぼ徹夜《てつや》で砂糖菓子《がし》を作った。大作を作る時間的な余裕《よゆう》はなかったので、掌《てのひら》より少し大きな砂糖菓子をそれぞれが作り上げた。

今朝方、ミスリルはその三つの砂糖菓子を一気に食べ尽《つ》くした。するとみるみる回復し、あまりの回復ぶりに気分が高揚《こうよう》してしまったらしい。

――でも、よかった。ミスリル・リッド・ポッドはこうじゃなくちゃ！

先行きの不安は大きいが、とりあえずほっとしていた。

妖精たちが顔を引っ込めるのと入れ替《か》わりに、作業場からキース・パウエルが出てきた。作業の準備をしていたらしく、上衣《うわぎ》を脱《ぬ》いで、シャツの袖《そで》を肘《ひじ》まであげていた。それでも首にある柔《やわ》らかなタイに優雅《ゆうが》で、貴公子然とした雰囲気《ふんいき》を失わない。

跳ねるミスリルを見てキースはびっくりしたようだが、すぐに笑顔《えがお》になる。

「すごいね、ミスリル・リッド・ポッド。元気じゃないか」

言いながら近寄ってくると、ミスリルの前に跪《ひざまず》く。

「アンの砂糖菓子も最高にうまいけど、キースの砂糖菓子もかなりのもんだったぞ！」

「お褒めにあずかり光栄だよ」

「死ぬほど光栄がってもいいぞ！　そうだ俺様、ノアやアレルたちに本来の俺様の力を見せつけないとな！　これなら砂糖菓子だって余裕で作れそうな気がする。ちょっと行ってくる！」

ミスリルは今一度、ははははっと高笑いすると作業場へ駆《か》け込んでいった。作業場の中から再び高笑いが響く。

──ノアたち、ものすご～く迷惑《めいわく》だろうな……。

アンは心の中で、作業場にいる妖精たちに向かって手を合わせる。

「本当にありがとうキース。昨夜は、ほとんど寝《ね》られなかったよね。感謝してる」

キースはアンを振り仰《あお》ぎ、微笑《びしょう》する。

「君も、ヒングリーさんも、寝てないのは一緒《いっしょ》じゃない？　ヒングリーさんの方が大変だよ。あの人さっき、妖精市場に新しい妖精たちを迎《むか》えに行ったけど、眠《ねむ》くてふらふらしてた。一緒にいるベンジャミンがぐうぐう寝てるんだから、つられちゃうよね。その点、僕は大丈夫《だいじょうぶ》だよ。アレルやノアが、いてくれるしね」

王命により、銀砂糖妖精を育てる事業が始まって二ヶ月あまり経《た》つ。妖精たちの修業《しゅぎょう》は、着実に進んでいる。昨日はマーキュリー工房《こうぼう》派とラドクリフ工房派の職人たちに、妖精たちの技術の高さをしっかりと印象づけることもできたのだ。

妖精たちの工房は、やっと順調に動き始めている。

「アン。君……決心は変わらないよね」

キースが立ちあがりながら、訊《き》いた。

「うん。これからヒューに、お願いに行く。この仕事を、離《はな》れたいって……」

苦労して立ちあげたこの場所を、アンは離れる決意をしていた。せっかく順調に動き出した仕事を離れるのは、本意ではない。しかしアンは、なにをおいてもミスリルを助けたかった。

ミスリルの今の元気は、かりそめだ。

砂糖菓子で繋《つな》いだかりそめの命がある間に、アンはいったんこの仕事を離れ、砂糖菓子以外の方法で、妖精の命を繋ぐ方法を知る必要がある。それを知っているのは、シャルの兄弟石ラファル。兄弟石のエリルとともに逃亡《とうぼう》を続けている彼を、探し出さなくてはならない。

しかしこの決断に対して、ヒューはなんと言うだろうか。

仕事に対して厳しい人だ。その彼に向かって、銀砂糖師として任され、アンも引き受けたこの仕事を抜《ぬ》けたいと申し出るのだ。

砂糖菓子のためにすべてを犠牲《ぎせい》にして生きているようなヒューが、どう反応するか。

仕事を離れることを許されなければ、アンはどうするべきなのだろうか。

「君の気持ちはわかるよ。だけど僕は……」

そこでキースはふと口をつぐみ、じっとアンを見つめる。切なげな目の色に、どきりとする。

「馬車の準備ができたぞ」

玄関扉《げんかんとびら》が開き、シャルが踏《ふ》みこんできた。するとキースはアンから視線をそらし、首を振った。そして軽くアンの背を押してくれた。

「行ってらっしゃい、二人とも」

シャルはアンを外へ出るように促《うなが》しながら、キースを振り返った。

「帰って来たら、おまえに話がある」

どこか切なそうにこちらを見ていたキースが、きょとんとする。

「なんだい？」

「帰ったら話す」

シャルはそれだけ言うと、アンとともに玄関を出た。


箱形馬車を操《あやつ》り、アンは王都ルイストン郊外《こうがい》の、王家所有の砂糖林檎《りんご》の林へ向かっていた。

最初にアンは、ルイストンにある銀砂糖子爵別邸《ししやくべってい》を訪ねた。しかし肝心《かんじん》のヒューは夜明け前に、砂糖林檎の林を視察に行ったらしかった。

あと一ヶ月ばかりすると、砂糖林檎の収穫《しゆうかく》時期がやってくる。

この時季、銀砂糖子爵は王家の砂糖林檎の林に数日滞在《たいざい》し、砂糖林檎の実りや質を確認《かくにん》するのだという。ヒューの帰宅は、いつになるかわからないと別邸の使用人は言った。

そこでアンは直接、王家の砂糖林檎の林に出向くことにした。銀砂糖妖精のルルとともに、一度行ったことのある場所だ。道も覚えている。

アンが手綱《たづな》を操り、御者台《ぎょしゃだい》のとなりにはいつものようにシャルが座っている。

夏の終わりの日射《ひざ》しが、シャルの髪《かみ》の先や睫《まつげ》に躍ってきらきらしていた。日射しは明るく、風は心地《ここち》よい涼《すず》しさを含《ふく》んでいる。箱形馬車の影《かげ》が、でこぼこ道の上を滑《すべ》っていく。

「とりあえず元気になってよかった。ミスリル・リッド・ポッド」

日射しと爽《さわ》やかな空気のおかげで、気持ちが明るく前向きになれる。思わず口に出すと、シャルが嫌《いや》そうに呟《つぶや》く。

「迷惑さも復活したがな」

「迷惑くらいがちょうどいい。静かなミスリル・リッド・ポッドなんて、ミスリル・リッド・ポッドじゃないし」

「あいつの毒気にさらされすぎたな。単純なかかし頭には、毒がよく染《し》みこむらしい」

「……どうせ」

がっくりと肩《かた》を落とす。シャルの態度も口から出る言葉も、いつもと変わらない。

昨夜ミスリルが倒《たお》れる直前、シャルはアンを抱《だ》きしめて「愛《いと》しい」と告げた。心にしみいるような、優《やさ》しい言葉をくれたはずなのだ。

しかし目の前のシャルの態度を見ていると、昨夜のことはアンの幻覚《げんかく》だった気がしてくる。

——だって、よく考えてよ？　シャルがあんなこと言うはずない。

昨日は派閥《はばつ》の職人たちがわんさとやって来た、妖精たちの未来に関《かか》わる大切な日だった。アンは我知らず緊張《きんちょう》していたはずだ。しかもミスリルの寿命を知った衝撃《しょうげき》で、妄想《もうそう》と現実がごっちゃになってしまったかもしれない。

「そうよ、そうよ。いくらなんでもありえない……」

呟くと、シャルがちらりと視線をよこす。

「なにがありえない？」

「あ、ううん！　なんでもない」

「独り言は不気味だ。独り言を言うほど暇《ひま》なら、返事を聞かせろ」

「なんの？」

問うと、シャルは不意にアンの耳元に唇《くちびる》を寄せた。

「昨夜の返事だ。俺の恋人《こいびと》になるか？」

「えっ⁉」

吐息《といき》で耳をくすぐられ、アンは思わず御者台の上を横っ飛びに逃《に》げた。が、その分シャルも近づいたらしい。びっくりするほど近い場所に、シャルの綺麗《きれい》な黒い瞳《ひとみ》があった。

——これはいつもの冗談《じょうだん》じゃなくて、昨夜の続き⁉　あれは幻覚じゃない⁉

アンは呼吸困難になったように口をぱくぱくさせていたが、シャルの顔から目が離せない。

動けないアンの手から、シャルが手綱を奪《うば》い取る。

「手がお留守だ。しっかりしろ」

人を動揺《どうよう》させておいてしっかりしろもないものだが、シャルは平然と前を向いて馬車を操る。

しばらくするとアンも落ち着いてきて、真っ赤になりながらも、御者台の端《はし》っこに身を寄せてちんまりと座っていた。

昨夜のシャルの言葉はすべて本物だ。「愛しい」と囁《ささや》いた声を思い出すだけで、さらに頰《ほお》が熱くなる。並んでシャルが座っているのだから、なおさら緊張して恥《は》ずかしい。

「あ……あの。シャル。昨夜のあれは、その……本気？　冗談じゃなくて？」

沈黙《ちんもく》に耐《た》えかねて、アンはおずおずと口を開く。

「冗談を言っていたように見えたか？」

呆《あき》れたような横目で睨《にら》まれ、アンは慌《あわ》てて首を振《ふ》る。まったくいつもと変わらない、人をからかって小馬鹿《こばか》にする態度なのに、シャルは本気なのだ。

──どうしよう。……嬉《うれ》しい。ものすごく、嬉しいかも。

跳《は》ね回るミスリルの気持ちが分かるほど、嬉しい。

しかしこんなに嬉しがっている自分がいるのに、アンはそれに応《こた》えられない。アンがシャルを不幸にすると告げたラファルの言葉が、未《いま》だに心のなかにしっかりと根を張っている。

すいと、シャルが片手を伸《の》ばしてアンの唇を撫《な》でた。ぎくっとして唇を押さえてシャルを見

今の仕事を抜《ぬ》け、ミスリルのために旅に出たいと申し出るのは、銀砂糖師として任された仕事を放棄すること。ひいては、銀砂糖師としての責任を放棄することなのだ。

「責任を放棄する者に、銀砂糖師と名乗る資格はないぞ」

「仕事を投げ出したいのじゃない。いったん仕事を離れて、戻《もど》ってこられたらまた仕事を」

「勝手に辞めたり参加できるような簡単な仕事なら、俺が銀砂糖師に依頼《いらい》すると思うか？　責任を持って、最初から最後までを見通す必要がある仕事だから、俺はおまえたちを選んだ」

キャットとキースがことのほか優秀《ゆうしゅう》なので、アン自身の仕事の負担は軽い。しかも仕事が軌《き》道《どう》に乗っているので、アンが仕事を離れても支障はない。

けれど、仕事が進むから、迷惑《めいわく》をかけるのが最小限だからと、勝手をしていいわけではない。

それこそが責任。覚悟《かくご》の問題なのだ。

ヒューの覚悟は、誰《だれ》よりも強い。けれどアンはどうだろうか。彼のようにすべてを犠牲《ぎせい》にして砂糖菓子のために尽くすほどの覚悟を、アンは持ち合わせているだろうか。

唇《くちびる》を噛《か》んだ。銀砂糖師としての責任を放棄するような、いい加減な事はしたくない。ヒューの言うとおり、そんなことをする者には銀砂糖師と名乗る資格はない。

――わたしは銀砂糖師だ。銀砂糖師として、恥《は》ずかしくない振《ふ》る舞《ま》いをしたい。

しかし銀砂糖師の責任をまっとうしようとするならば、旅に出ることはできない。

もしアンが行かなければ、シャルとミスリルの二人だけで旅立つだろう。

旅の道中、もしミスリルの力が弱まれば砂糖菓子が必要になる。ある程度の砂糖菓子ならば事前に作り、旅に持参してもらうことは可能だ。しかし繊細《せんさい》な砂糖菓子は、持ち運ぶ途中《とちゅう》で壊《こわ》れる可能性が高い。

一番確実なのは、銀砂糖の樽《たる》と一緒に、銀砂糖師のアンがともに行動することなのだ。それが、アンがミスリルのためにできる唯一《ゆいいつ》のことだ。

だが銀砂糖師の責任がそれを阻《はば》む。なぜ銀砂糖師の称号《しょうごう》が邪魔《じゃま》になるのだろうか。

なんのためにアンは、この称号を欲しがったのだろうか。ミスリルのために動くこともできない責任を負うためだけに、この称号が欲しかったのではない。

そこまで考えて、アンは思い出した。自分の中にある、根っこの部分の思い。

アンはドレスのポケットを探《さぐ》った。指に触《ふ》れる、すべすべした石の感触《かんしょく》は王家勲章だ。ポケットの端《はし》に鎖《くさり》を通してその先に王家勲章をつけて、常に持ち歩いているのだ。

ヒューやキャットは王家勲章を持ち歩くようなことはしないらしいが、アンは銀砂糖師と名乗っても信じてもらえないことも多い。そのために持ち歩く習慣ができてしまっていた。

アンは王家勲章をポケットから取り出すと、鎖を布地から外した。

「思い出した……。わたし、なんのために銀砂糖師になりたかったのかを」

指先がざらついている、綺麗《きれい》でも大きくもない自分の手。そこに載《の》っているのは、自分には不相応なほど美しい蔓薔薇《つるばら》の浮《う》き彫《ぼ》りが施《ほどこ》された白い勲章だ。

「わたしは大好きな人たちや優《やさ》しい人たちを、なんとかして守りたいし、助けたかった。だから力が欲しかった。わたしができるのは砂糖菓子を作ることだけ。美しい砂糖菓子には強い力が宿る。銀砂糖師は、大きな幸福を招く、強い力のある砂糖菓子を作れるって証。だから銀砂糖師の称号が欲しかった。自分が持てる、めいっぱいの力を摑《つか》みたかった。わたし、大好きな人たちのために銀砂糖師になりたかったのよ。だから……」

顔をあげ、アンはヒューを真っ正面から見つめた。

「自分の力を大切な人のために使えないなら、意味ないの。銀砂糖師である意味がない。だったらわたしは、銀砂糖師と名乗る資格はない。当然よ」

周囲の大切な人に手をさしのべられないほどの、覚悟。

――そんな覚悟、できるはずないじゃない。

情けなくて、泣けてくる。自分にはヒューのような覚悟ができない。

自分の孤独《こどく》を癒《い》やしてくれた、大切な友だちの命が消えかかっている。それを黙《だま》って見ているだけの覚悟など、アンにはできないし、したくない。

――けれど覚悟がないなら、銀砂糖師の責任を果たせない。だったら、方法は一つしかない。

情けない自分に呆《あき》れるが、これが自分だ。諦《あきら》めのため息をつくと、静かにアンは告げた。

「銀砂糖師と名乗る資格がないわたしは、王家勲章を返上しなくちゃいけない。だから返上する。ヒュー……銀砂糖子爵《ししやく》に、これを渡《わた》します。国王陛下に返上して」

「返上だと？」

目を見開き、ヒューは啞然《あぜん》としてアンを見つめ返していた。

「アン。冷静になれ」

シャルが背後からそっと肩《かた》を摑む。アンは軽く首を振った。

「わたし冷静だもの。頭にきて、売り言葉に買い言葉で言ったんじゃない。でも……銀砂糖師になるために、シャルにはいっぱい迷惑かけたのに……ごめん」

それが一番、申し訳ない。

「俺のことはいい。おまえ自身のことだ」

「わたし自身は、……これでいい」

銀砂糖師の称号を軽《かろ》んじるつもりは微塵《みじん》もない。できるなら銀砂糖師の称号も手放したくない。だがそうしなければミスリルを助けられないのであれば、そうするしかない。

王家勲章にしがみついてミスリルが死んでしまったら、後悔《こうかい》してもしきれない。

一緒に旅に出ても、結局助けられないかもしれない。それでも自分の力を尽《つ》くした分だけ、哀《かな》しくて切なくとも、後悔はない。

ミスリルの寿命《じゆみよう》を知ってから事ある毎《ごと》に思い出すのは、二年前エマを失う直前、ベッドの傍《かたわ》らに座っていることしかできなかった自分の無力さ。

あの時と違《ちが》って、今アンにはできることがあるのだ。

それでもアンは、手にした王家勲章を、未練がましくぎゅっと握《にぎ》りしめる。

王家勲章の冷たいなめらかな感触に誇《ほこ》らしさを感じる。これを手にしているのは、王国でたった二十三人。ヒューとキャット、エリオット。グレン・ペイジ、マーカス・ラドクリフ。ジョン・キレーンたち。アンが直接知っているだけでも、そうそうたる面子《メンツ》だ。その列に自分が加わったことが、信じられないほど嬉《うれ》しくて誇らしい。

この王家勲章はアンの誇りそのものだった。

――だけど。

「ヒュー、受け取って」

踏《ふ》み出して王家勲章を差し出すと、ヒューはしかめ面《つら》をしながらも掌《てのひら》を出した。そこにそっと王家勲章を置くと、胸が締《し》めつけられるように痛んだ。

あれほど望んだ、銀砂糖師の称号だ。エマの弔《とむら》いのためにと、その称号を望んだときの気持ち。シャルがアンのために払《はら》ってくれた犠牲。その称号を得たときの嬉しさと、誇り。様々な思い出と気持ちがどっとあふれそうになり、息が詰《つ》まりそうだった。我知らず視界が滲《にじ》み、それに気がついて唇を噛みしめた。自分の決断なのだから、無様な真似《まね》はしたくない。

――わたしは、わたしの大切な人のために、自分ができることをしたい。

自分の名誉《めいよ》や誇りなど、誰かの命に比べればちっぽけでいじましい。

すべてのものをのみ込み、アンはヒューを見つめた。

「返すことは……わたしの覚悟。ヒューとは別の意味で」

「よくよく、頑固者《がんこ》だな」

冷たい笑いをヒューは口元に浮かべた。彼は、静かに怒《おこ》っているような気がした。

「ごめんなさい、ヒュー。でも、返す」

頭をさげると、アンはきびすを返して歩き出そうとした。その背中に、

「アン」

こらえきれなくなったように声をかけてきたのはサリムだ。振り返ると、珍《めずら》しくサリムが焦《あせ》ったような目の色をしている。

「アン。今ならまだ間に合います。子爵にお詫《わ》びと、王家勲章《くんしょう》返上を撤回《てっかい》すると……」

アンの身を心配してくれる言葉に、泣き出しそうだった。アンだって本当はヒューの手にすがりつき、なにがあっても王家勲章は自分のものだと、だだをこねて泣きわめきたいのだ。

「いいの。ありがとう、サリムさん」

できるだけきっぱりと聞こえるように言い、微笑《ほほえ》んだ。

心の中はとてつもなく無様だが、一度は王家勲章を手にした者として、表面だけでもみっともない真似はしたくなかった。

アンの言葉と表情に、サリムはふっとため息をついた。

「そうですか」

サリムは諦めたように頷《うなず》いた。ヒューはまだしかめ面で、掌の王家勲章を見おろしていた。彼がこちらを見ていないのは分かったが、アンは今一度ヒューに頭をさげると歩き出した。

ヒューの姿が背後に遠くなると、アンは俯《うつむ》いた。

「ヒューを怒らせちゃったかな」

「おまえは、やっぱり馬鹿《ばか》だな」

淡々《たんたん》としたシャルの言葉に、アンは泣き笑いで顔を歪《ゆが》めた。

「ごめんね、シャル。シャルがいっぱい協力してくれて、わたしは銀砂糖師になったのに」

砂糖菓子《がし》のために生き、すべてを捧《ささ》げているヒューにとって、アンの決断は苦々しいだけだろう。けれどアンは、こうするしかなかった。

いつかヒューのような職人になりたいと思い続けている。けれどアンは、銀砂糖子爵のような生き方は選べない。

「銀砂糖師になったのは、おまえの力だ。だから王家勲章はおまえのものだ。おまえが納得《なっとく》して決断したのなら、それでいい」

「……ありがとう」

砂糖菓子に生かされる道を選んだのは、大切な人たちのためなのだ。砂糖菓子のために大切な人を犠牲《ぎせい》にしてしまったら、アンは砂糖菓子そのものを嫌《きら》いになってしまいそうだ。

砂糖菓子を嫌いになりたくない。砂糖菓子はアンの人生を支えてくれる、大切なものなのだから。

胸は痛いままだ。それでも泣いたりせず、再び顔をあげて歩いた。一度は王家勲章を手にした者としての誇りだけは、なくさないでいたい。それがやせ我慢《がまん》だとしても。

陽《ひ》が傾《かたむ》き、ホリーリーフ城の前庭に木々の長い影《かげ》が落ちる頃《ころ》、キースは妖精《ようせい》たちに作業の終了《しゅうりょう》を告げた。一日中作業場で、元気《げんき》溌剌《はつらつ》・迷惑千万《めいわくせんばん》に振《ふ》る舞《ま》っていたミスリルは、仲間の妖精たちと一緒《いっしょ》に作業場を出て行く。

「夕食が始まるまでの間、カードゲームだ！　ノア、アレル、つきあえ！」

指名されたアレルは、嫌《いや》そうに顔をしかめる。

「おまえ、なんでそんなに元気なんだよ。一日仕事してたくせによ」

「俺様は朝から晩まで元気だぞ！」

「カードゲームかぁ、僕、弱いのになぁ」

ノアはブツブツ言うが、ミスリルはその肩に乗って喚《わめ》く。

「おまえは絶対参加だぞ！　俺様より弱い奴《やつ》がいなけりゃ、俺様が勝てないだろう！」

「ひ、ひどい……」

ミスリルの元気な様子に、キースはほっとする。そして最後に右翼《うよく》の作業場を後にした。

玄関《げんかん》ホールに行くと、ちょうど左翼《さよく》の作業場からキャットが出てきた。彼の頭の上にも肩の上にもベンジャミンの姿がない。台所の方から肉を焼く香《かお》りがするので、おそらくベンジャミンは台所で料理の手伝いをしているのだろう。

「ヒングリーさん、アンはまだ帰っていませんか？」

訊《き》くと、キャットは眉《まゆ》をひそめる。

「まだだ。もめてるのかもしれねぇ。ボケなす野郎《やろう》は、今回の事業に入れ込んでるからな……」

「子爵《ししやく》が反対されると？」

「あの野郎は、砂糖菓子のことになったら妥協《だきよう》しねぇ」

アンが仕事から離《はな》れることをヒューが認めなければ、彼女は泣く泣くホリーリーフ城に残るだろう。ミスリルはシャルと二人だけで、旅立つことになる。

――アンは、気落ちするだろうな。

しかし、そうなってくれることを心のどこかで期待している自分がいる。

昨夜ミスリルが倒《たお》れた時、キースはアンとシャルに知らせようと部屋を飛び出した。廊下《ろうか》を抜《ぬ》け小ホールに踏み出して、そこで見た光景が頭から離れない。

アンはシャルに背を抱《だ》かれ、二人は見つめ合っていた。それは恋《こい》し合う者たちの姿に見えた。

シャルは、アンに恋をしている。そしてアンの気持ちはどうなのだろうか。

少なくとも、シャルを嫌いではないのは確かだ。しかも彼ら二人の間には、キースが入り込めない深い絆《きずな》があるのを感じる。

そんな二人が一緒に旅に出るのを、心から喜べない。

前庭から馬車の車輪の音が聞こえてきた。ひどく軋《きし》むその音は、アンの箱形馬車だ。馬車は城館の裏手にある納屋《なや》に入ったらしい。

しばらく待っていると、玄関扉《げんかんとびら》を開いてアンとシャルが入ってきた。キースとキャットの姿を見つけて、アンは笑顔《えがお》になった。

「あ、ただいま。びっくりした。こんなところで立ち話？」

「君が帰ってくるのが遅《おそ》いから、心配してたんだよ」

キースが言うと、アンは小さくなった。

「ごめんね。ヒューが、王家の砂糖林檎《りんご》の林にいたの。そこへ行ったから、遅くなっちゃった」

「まあ、シャルがいるから心配はしてなかったけど。それで、どうだったの？」

「わたしはここの仕事を離れて、ラファルを探しに行く」

「許してもらえたんだね、子爵に」

ほっとしたような残念なような、複雑な気分だった。キースの言葉にアンは首を振った。

「許してはもらえなかった。銀砂糖師としての責任を放棄《ほうき》するなら、銀砂糖師と名乗る資格はないと言われたの。それは当然だから、王家勲章を返上してきた」

「はっ⁉」

キースもキャットも、同時に声をあげていた。

「王家勲章を返上⁉」

「てめぇ、正気か⁉」

詰《つ》め寄ったキースとキャットに、アンはすこし及《およ》び腰《ごし》になりながらも頷く。

「とりあえず正気です。これしか方法がないから、返しただけで」

「なんでそんな発想になるんだい⁉　せっかく手に入れた銀砂糖師の称号《しょうごう》をあっさり！」

アンは、どこかが痛むかのように顔を歪めた。泣き出すのかと、キースはぎくりとした。

「あっさりと返したわけじゃない……」

小さな声で答えると、アンは口を閉じる。しばらく沈黙《ちんもく》すると、ようやく口を開く。

「でもわたしは、大切な人のために砂糖菓子を作りたくて砂糖菓子職人になった。銀砂糖師になった。銀砂糖師になったから誰《だれ》かのために砂糖菓子を作れなくなるなら、本末転倒《ほんまつてんとう》だもの」

「作りたい奴に作る。それで立派な銀砂糖師だ。どうして王家勲章を返上する必要がある」

キャットが怒《おこ》ったように問うので、アンは首をすくめる。

「だってわたしは、銀砂糖師の責任を放棄するんですから」

「銀砂糖師の責任は、誰かのために砂糖菓子を作るって事以外ねぇ！　それ以外の責任は、あのボケなす野郎が、勝手に考えて勝手に作ってるだけのもんだ。そんなもののために、王家勲章を返上なんかすんじゃねぇ！」

キャットはいきなりきびすを返すと、玄関ホールから階上へ延びる階段を駆《か》け上っていった。そしてすぐに、上衣《うわぎ》を手にして戻《もど》ってきた。

「あのボケなす野郎に掛《か》け合ってくる！　夕飯はきっちり俺の分、残しとけよ！」

指を突《つ》きつけられ、キースは面食《めんく》らう。アンが慌《あわ》てたように言う。

「キャット、でも！　王家勲章《くんしょう》はわたしが自分から返上したんだし、わたしは納得してます」

「てめぇが納得しようがしまいが、関係ねぇ。これはてめぇのためじゃねぇ！　あの野郎が銀砂糖師の意味を、そこまではき違《ちが》えているのがゆるせねぇ！」

怒鳴《どな》ると、キャットは玄関を飛び出していった。

シャルが呆《あき》れたように呟《つぶや》く。

「どうしようもなく単純だな。あの男」

「あの二人が会ったら喧嘩《けんか》になるよね。キャット、またいいように遊ばれちゃうかも」

困惑《こんわく》したアンの横顔を見て、キースは肩《かた》を落とす。

「君……。なんでそうなの？　そんなこと心配してる場合なの？　アン」

「え？」

きょとんと見あげてくる円い目に、キースは説教する気が失《う》せてしまう。これがアンなのだから仕方がないと、諦《あきら》めの境地だ。苦笑《くしょう》しながら答えた。

「なんでもないよ。ヒングリーさんと子爵なら、大丈夫《だいじょうぶ》。二人とも、なんだかんだ言いながらそれなりに大人だから。それで、君はいつ出発する予定なの？」

「出発前に、ストーさんに会いたいと思ってるの。妖精商人ギルドは妖精たちの動向に敏感《びんかん》だろうから、ラファルたちの情報を持っているかもしれないって、シャルが。それで情報をもらえれば、すぐにでも出発する。ごめんね、キース。仕事を抜けることで迷惑をかける」

「ヒングリーさんも言ってたと思うけど、そのことはかまわないよ。軌道《きどう》に乗ってるからね。それよりも、相手はあのラファルたちだろう？　気をつけて欲しい、それだけだよ」

キースの言葉に頷《うなず》くアンの肩に軽く触《ふ》れる。

――やっぱり、行ってしまうんだな。

胸の中に、切なさが広がる。息苦しくなり、キースはアンの肩から手を離した。

「ミスリル・リッド・ポッドは、朝と変わらず元気だよ。顔、見に行く？　今はアレルとノアと一緒にカードゲームをしているよ」

「カードゲームしてるってことは、本当に元気なのね。よかった」

アンは嬉《うれ》しそうに階段を上っていった。その姿を見送り、少しぼんやりしていたらしい。

「キース」

シャルの声で、はっとした。シャルがキースのことを『坊《ぼう》や』ではなく、名前で呼びかけるのは珍《めずら》しい。壁《かべ》に背をもたせかけ腕組《うでぐ》みした姿勢のまま、シャルは静かに切り出した。

「教えておく。昨夜、アンに俺の思いを伝えた。アンの心が俺にあるなら、恋人《こいびと》にして生涯《しょうがい》守り通すとも言った」

息が止まりそうになった。

──伝えた⁉

昨夜、シャルとアンが見つめ合っていた理由はこれだ。おそらくあれは、シャルがアンに思いを告げたところだったのだろう。

思うままに振《ふ》る舞《ま》って欲しいとシャルに願い、対等な立場になりたいと切望したのはキースだ。だが実際彼が、こうやって真っ向からアンに向き合ったと聞くと動揺《どうよう》は隠《かく》せない。

「それで……アンは、なんて？」

惨《みじ》めに声がうわずるのを、必死に抑《おさ》えた。

「答えない」

「……え？　答えなかった？」

不機嫌《ふきげん》そうに頷くシャルに、キースは張りつめていたものが一気にほぐれる。

──そうか……。こんなに美しい妖精《ようせい》に愛を囁《ささや》かれても答えないんだ、彼女。

シャルは、すこしふてくされているようにも見えた。これほど美しく強い妖精が、あんな細っこい平凡《へいぼん》な少女の答えがなかったと、不機嫌な顔になっているのがおかしくなる。

「じゃあ、君も僕と一緒《いっしょ》だね」

くすくす笑い出すと、シャルはますます嫌《いや》な顔をする。

「おまえと一緒にするな、坊や」

「一緒にするなって言われても、事実、一緒じゃないかな？　でも聞けてよかったよ。僕にもまだ、希望があるってわけだよね」

キースはシャルに歩み寄ると、微笑《ほほえ》んだ。

「僕は諦めないよ。アンの心を摑《つか》んでみせる」

「俺もあいつを、もう手放す気はない」

さらりと答える声には決意がある。彼が自分の心を押し殺すことなく、こうやって真っ正面から対峙《たいじ》することこそ、キースは望んでいた。譲《ゆず》られる恋《こい》などしたくない。

「僕たち、どちらがアンの恋人になれるかな？」

しらけたように、シャルが答える。

「まったく別の誰かに、あいつが恋する可能性もあるがな」

「それもそうだね！　そうしたら僕たち二人、かなりの間抜《まぬ》けだよね！」

思わず吹《ふ》き出し、シャルのとなりに並んで壁に背をつける。すると背中からすっとなにかが抜《ぬ》け出したような気がして、体の力が抜ける。天井《てんじょう》を見あげてため息をつく。

緊張《きんちょう》したり高揚《こうよう》したり、落ちこんだり切なくなったり。気分の変化が激しくて、疲《つか》れてしまう。恋は疲れるものなのだと、今更《いまさら》実感する。

シャルはそんなキースをちらりと見やって、肩をすくめた。

「シャル。ラファルは危険だ。アンを守って欲しい。僕が今心配なのは、本当にそれだけだよ」

「言われるまでもない。あいつには指一本、触れさせない」

シャルの強い言葉が、頼《たの》もしかった。

「信じてるよ。君のことを」

キースは天井を見あげ続けた。恋敵《こいがたき》なのに、アンのことを安心して任せられるのはシャルしかいないような気がした。


ギルム州の州都ノーザンブローから北上を続けると、その周辺は痩《や》せた土地が広がる。木もまばらな荒《あ》れ野を見おろす崖《がけ》の突端《とったん》に、ほっそりした少年妖精が足をぶらぶらさせて座っていた。危《あや》うい場所に座っているが、彼は怯《おび》えていなかった。背にある、星屑《ほしくず》を集めたように光る二枚の銀の羽もぴんと張りつめて輝《かがや》いている。

妖精は少年の姿で銀の瞳《ひとみ》もおっとりしているのに、どこか妖艶《ようえん》さがある。それは際《きわ》だって美しい、少女のような容貌《ようぼう》のせいばかりではない。その微笑みや、とろりとした甘くなめらかな雰囲気《ふんいき》に、人を誘《さそ》う魅力《みりょく》が備わっているのだ。

したたるような艶《つや》があるのは、彼の兄弟石に共通している特徴《とくちょう》だった。

彼はシャルの兄弟石の一人。エリル・フェン・エリルだ。


エリルが座る背後には、広葉樹のまばらな林があった。薄青《うすあお》い空が広がるもとで、広葉樹の葉は少しだけ葉の先端《せんたん》を黄色に染めている。

エリルはその木々からちぎりとった葉を膝《ひざ》の上に並べて、飽《あ》きずに眺《なが》め続けていた。木の葉が色を変えたのが不思議で面白《おもしろ》くて、しかたないのだ。自分たち妖精はどうがんばっても生まれてからずっと姿を変えることはできないのに、木の葉は毎年色を変えるのだという。

銀の髪《かみ》が、さらさらと頬《ほお》に触れていた。身の丈《たけ》に合わない白いシャツと、肩にゆるく巻いた青いストールが、崖下《がけした》から吹きあがってくる風をはらんでふわりと膨《ふく》れる。

「エリル」

呼ばれて、エリルは顔をあげて振り返った。

背後の林から、栗毛《くりげ》と葦毛《あしげ》、二頭の馬を連れた妖精ラファル・フェン・ラファルがやってくる。薄緑《うすみどり》とも薄青ともつかない彼の曖昧《あいまい》な髪色は、木漏《こも》れ日に照らされることで、所々が金や銀に見える。端整《たんせい》でありながら華《はな》やかな容姿には、彼が身につけている、ビーズやレースで飾《かざ》られた上衣《うわぎ》がよく似合う。瞳が柔《やわ》らかく微笑んでいる。

彼の顔を見てほっとするのは、エリルにとって今現在唯一《ゆいいつ》、一緒に過ごせる相手だからだ。生まれてまだ一年と経《た》っていないが、その間、まともに会話をしているのはラファルだけだ。数ヶ月前、兄弟石の妖精の一人、シャル・フェン・シャルとも出会った。

混乱する戦いの場所で、シャルとは少しだけ言葉を交《か》わした。だが彼は、人間や妖精を交えた別の仲間たちとともにいて、エリルとは別の世界で生きているように感じられた。

どうやらラファルだけが、エリルと同じ場所にいるらしい。

「馬？　可愛《かわい》らしいね」

膝の木の葉を崖下にひらひら落とすと、エリルは立ちあがって馬に近寄った。

「あれば便利だからな。手に入れてきたよ」

と言って、ラファルは口の端《はし》をつりあげた。そうすると柔らかく微笑んでいるのに、ひどく残忍《ざんにん》に見える。

葦毛馬の鼻面《はなづら》を撫《な》でると、馬は嬉しそうに鼻をすり寄せてきたのでその頬に口づけた。馬のつぶらな瞳が愛らしくて、思わずふふっと、吐息《といき》のような笑い声が漏《も》れた。

「とても可愛い。でも馬は必要？　あの人が言っていた場所は近いのでしょう？」

おっとりと尋《たず》ねると、ラファルは懐《ふところ》から地図を取り出し、ざっと確認《かくにん》する。

「そのはずだがな」

「見つけられなければ、もっと別の場所でも僕はいい」

何気なくエリルが言うと、ラファルは地図を懐に戻《もど》しながら否定した。

「おまえには必要な場所だ。妖精王にふさわしい場所だ」

「妖精王だって言うなら、あなたも同じじゃない？　ラファル。それに、シャルも」

「わたしは片羽を失い人間の手に汚《けが》された。ましてや、シャルは……」

微笑みが消え、冷たい色が瞳に宿る。それを察して、エリルはわざと彼の方を見ないようにした。ラファルはシャルのことを口にすると、怖《こわ》い目をする。

シャルは黒い瞳と黒髪《くろかみ》が美しい、凜《りん》とした妖精だった。エリルは彼と出会ったとき、別段嫌《いや》な感じは受けなかった。だが、ラファルは彼を憎《にく》んでいる。

ラファルの話では、シャルは人間に荷担《かたん》してラファルを追い詰《つ》め、彼を瀕死《ひんし》の状態に追いやったというのだ。同じ妖精王でありながら。

シャルがなぜそんなことをしたのか、なぜ人間の仲間になっているのか、理由までは訊《き》いていない。どうでもいいことだった。今エリルはシャルではなく、ラファルと一緒にいるのだ。

ラファルの存在を確認するように、エリルは彼の方に体をすり寄せた。

ラファルは知識もあり、残忍と思えるほど強い。なのになぜか、彼がふいにエリルの目の前から消えてしまいそうな気がして時折心細くなる。そんな気持ちになるのは、エリルが生まれてはじめて目にしたのがラファルで、そのとき彼が泣いていたからかもしれない。

その印象が強くエリルにはすり込まれている。

——ラファルがいれば、寂《さみ》しくない。だから僕がラファルを守ればいい。

目をあげると、遠くの岩山と岩山の間に廃城《はいじょう》が見えた。

「とりあえず、あそこへ行くのでしょう？」

ラファルも視線をあげ、その城を見やると呟《つぶや》く。

「わたしには、懐《なつ》かしい場所だ」

そして栗毛馬の手綱《たづな》を持ち替《か》えると、ふとなにかに気がついたように苦笑《くしょう》して馬の耳に触《ふ》れる。するとラファルの指には、可愛いまるまるとした体に黒い斑点《はんてん》がある、赤い虫がとまっていた。彼はその虫を、足元の草葉の上にとまらせてやった。

「その虫、なに？」

「テントウ虫」

「可愛いね。好きなの？　ラファル」

「そうだな。罪がない生き物だ」

「罪のある生き物はいるの？」

「人間。そしてシャル……」

テントウ虫を見つめながら、ラファルは魅惑《みわく》的に、曖昧に微笑する。ちらりと唇《くちびる》を舐《な》めた。

「彼に出会ったら、その罪深さを囁《ささや》いて聞かせながら彼を切り刻もう。今度こそ、あの銀砂糖師とともに」

二章　彼らが求める場所

　王都ルイストンの西の市場の一角には、妖精《ようせい》市場が開かれている。王国最大規模の妖精市場だ。その市場を取り仕切るハリスという男が、七日おきに妖精たちをホリーリーフ城へ送る段取りをしていた。

　ハリスは妖精商人ギルドの長《おさ》、レジナルド・ストーの腹心の部下らしい。

　今朝。アンはキースに、レジナルド・ストーから情報を引き出したいと相談した。すると彼はキャットが保管している書類をざっと読み、この人物ならばレジナルドと連絡《れんらく》をつけられる可能性があるだろうと、ハリスのことを教えてくれたのだ。

「キャット、帰って来なかったね」

　アンは、シャルとともにルイストン西の市場に来ていた。人の肩《かた》にぶつからないように歩きながら、隣《となり》を歩くシャルを見あげる。

「銀砂糖子爵《ししやく》と、まだ喧嘩《けんか》中だろう」

「長い喧嘩よね。喧嘩ならまだしも、からかわれて遊ばれてる気もする」

　キャットは昨日の夕方ホリーリーフ城を飛び出し、まだ帰って来ていない。

ミスリルは妖精市場へ行くのを嫌《いや》がったし、キースも仕事がある。そこでアンとシャルだけが、ルイストンへやって来た。

妖精市場は、西の市場に比べれば人通りが少なく、静かだ。冷やかしで露店《ろてん》を見て歩く客が少ないからだった。妖精は基本的に高価だ。気軽に見て回り、気軽に買えるものではない。

獣脂《じゅうし》を塗《ぬ》った布をテントにして、道の左右に露店が並ぶ。籠《かご》に入れられた、小鳥のような小さな妖精がずらりとつり下げられている店がある。その向かい側のテントの下には、アンと同じくらいの大きさの妖精の女の子が、ちんまりと椅子《いす》に腰掛《こしか》けさせられていた。その足首には細い鎖《くさり》が巻かれ、地面に固定されている。

売られる妖精たちの目は暗く、表情がない。それを見ていると、人間である自分が恥《は》ずかしく情けない。妖精市場は、あまり気持ちのよい場所ではない。

ハリスはたいがい、妖精市場の中央にある露天の酒場にいて市場を監視《かんし》しているらしいと、キースは教えてくれた。

妖精市場の中央あたりには、大きめのテントが一つ張られていた。その下にはテーブルがわりの樽《たる》が置かれ、酒のカップ片手に、数人の男たちがカードゲームに興じている。

キースが教えてくれた露天の酒場だ。

「すみません。ハリスさんは、この中にいますか？」

テントのそばで声をかけると、たむろしていた男たちが一斉《いっせい》にこちらを向いた。何人かが、嬉《うれ》しげに軽く口笛を吹《ふ》く。

「上玉だな」

もちろん、アンに向かって言った言葉ではない。男たちはシャルを見ている。

ここにたむろしているのは、妖精の商売に関《かか》わる連中だろう。シャルを商品として値踏《ねぶ》みするのは当然かもしれない。しかしアンは、それが嫌だった。シャルの前に立ちはだかり、できるだけ彼らの視線からシャルを遮《さえぎ》る。

「ハリスさんを探してるの。ここにいますか？」

「おー。ハリスは、俺だ。なんか用かい」

奥の樽にもたれかかっていた髭面《ひげづら》でおおらかそうな男が、のんびり手をあげた。

「わたし、アン・ハルフォードと言います。砂糖菓子《がし》職人です。ストーさんにお目にかかりたいんですけれど。どちらにいらっしゃるか、ご存じですか？」

レジナルド・ストーは用心深く、その所在が常にはっきりしない。しかしこの数ヶ月間、彼は度々《たびたび》ヒューと交渉《こうしょう》している。ということは、ルイストンかその近郊《きんこう》に頻繁《ひんぱん》に滞在《たいざい》していると見ていい。

「はぁ、ストーさんにねぇ。あんたストーさんの知り合い？」

「今年の春に、バルクラムのお医者様の家に一緒《いっしょ》にいました」

「ああ、バルクラム。そうか、バルクラムな」

髭をひっぱりながら、ハリスはゆっくりと歩み出てきた。

「ストーさんはどこにいるのか、俺たちもよく知らなくてな。まぁ、でも、知ってそうな奴《やつ》がいるかもしれない。ついて来なよ」

アンとシャルは、のんびりと歩き出したハリスについていった。

ハリスは妖精市場を抜《ぬ》けると、西の市場に入った。そこから路地に入り込む。

石敷《じ》きの路地は左右に家の壁《かべ》が迫《せま》っており、大柄《おおがら》なハリスの体は道幅《みちはば》ぎりぎりだ。

しばらく路地を進むと、細い扉《とびら》があった。ハリスは扉を開くと体を斜《なな》めにして中に入り、中からアンたちに声をかける。

「入って来な」

中は薄暗《うすぐら》くて、どうなっているのかよく見えない。不安になってためらっていると、シャルがすいとアンの横をすり抜けた。そして先に一歩中に踏《ふ》みこんだ。

踏みこんだ途端《とたん》、シャルは一瞬《いっしゅん》動きを止めた。そして振《ふ》り返る。

「大丈夫《だいじょうぶ》だ。入れ」

恐《おそ》る恐る中に踏みこむと、そこは小さな部屋だった。窓が一つあるが、鎧戸《よろいど》が閉められているからひどく暗い。ハリスは窓へ近づくと鎧戸を開け放った。

暗かった部屋の中に、光と風が流れ込む。

部屋の隅《すみ》に長椅子《ながいす》があり、そこに長身の男が横になっていた。突然《とつぜん》射しこんだ光に、まぶしそうに顔をしかめる。

「なんだ？　ハリス」

「お客さんですぜ、ストーさん」

　アンは目を丸くした。長椅子に横になっているのは、長身で灰色の髪《かみ》をした男。黒い上衣《うわぎ》に、鮮《あざ》やかな赤のタイが目をひく。レジナルド・ストー本人だ。レジナルドが鋭《するど》い目で、こちらを睨《にら》む。そしてやっと、アンとシャルの姿を認めたようだった。

「誰《だれ》かと思えば、銀砂糖師のお嬢《じょう》さんか」

「お久しぶりです、ストーさん」

　アンが頭をさげると、レジナルドは大儀《たいぎ》そうに長椅子の上で伸《の》びをした。

「銀砂糖子爵の使いか？」

「違《ちが》います。教えて欲しいことがあって来ました。個人的なお願いです」

「ほぉ……」

　レジナルドは体を起こし足を床《ゆか》におろすと、値踏みするようにアンを見あげる。

「何を教えて欲しい？　そしてその対価は？」

　低く、魅惑的な声で問う。

「教えて欲しいのは、王城から逃亡《とうぼう》したラファルとエリルについての情報です。彼らの行方《ゆくえ》について、なにか知りませんか？」

「さて。なぜわたしに訊《き》く？　わたしはただの妖精商人だ、情報屋じゃないぞ」

「妖精商人は妖精を商品にしているから、妖精の情報を集めてますよね。しかも妖精商人ギルドは王国全土で一つの組織で動いてるから、情報も集まりやすいはずですよね」

レジナルドに情報を求めるべきだと提案したのは、シャルだ。

妖精商人に売り買いされた経験の長いシャルは、彼らの内情に、嫌でも詳《くわ》しくなったらしい。

そのシャルは部屋の壁際《かべぎわ》に控《ひか》え、レジナルドを睨みつけている。以前のように今にも襲《おそ》いかかりそうな雰囲気《ふんいき》ではないが、不愉快《ふゆかい》さを隠《かく》さない。

「情報の対価は？　ちゃんと用意しているのか？」

「お金を。十クレスくらいならば、出せます」

「金か。つまらんな。おまえがもうすこし大人なら、それなりの対価も期待できただろうにな。なんなら、二年後くらいの後払《あとばら》いにしてやってもいい」

その言葉に、シャルが身に纏《まと》っていた不機嫌《ふきげん》な空気に殺気が混じる。それを感じたのかレジナルドは軽く手を振り、長椅子の背にもたれかかった。

「冗談《じょうだん》だ、妖精。殺気立つな。まあ、おまえたちが奴らの行方を摑《つか》んで我々に知らせてくれるのであれば、それはありがたいことだな。我々も奴らの行方については気にしている。十クレスぽっちの金でも、情報を提供してやってもいい」

「じゅ、十クレスぽっちって……」

十クレスはアンにとっては、一ヶ月分の生活費だ。それをはした金のように言う。妖精商人が日々やりとりする金額がいかに大きいのかが、うかがえる。

「で、おまえたちは奴らを探し出して、何をする気だ」

壁際にいたシャルが、静かに口を開く。

「奴らを狩《か》るつもりで、行方を追うのじゃない。だが……いずれは決着をつける。ラファルは無益に人間を殺しすぎた。その償《つぐな》いのために、捕《と》らえるか殺す。その覚悟《かくご》はある」

その言葉にはラファルに対する憐《あわ》れみとともに、シャルの覚悟が感じられた。

「おまえがか？　妖精《ようせい》」

レジナルドが面白《おもしろ》そうに問うと、シャルは彼を睨みつけるようにして低く答えた。

「そうだ。奴を殺す必要があるならば、俺がこの手で殺す。俺にとってはラファルよりも、おまえの方が憎《にく》むべき相手で軽蔑《けいべつ》している。だが罪は罪として、認める」

「認める、か。妖精の流儀《りゅうぎ》か？　まあいいだろう」

レジナルドはにやりとすると、ハリスに向かって顎《あご》をしゃくった。

「ハリス。奥から、地図を持ってこい。中部詳細《しょうさい》地図だ」

ハリスは奥の扉へ姿を消した。そしてすぐに、丸められた地図の束を持って現れた。

部屋の中には、長椅子と小さなテーブルがあるだけだった。ほとんど空っぽのこの部屋は、仮眠《かみん》のためだけに用意されているのだろう。ハリスが地図を持ち出してきた奥の部屋も、ちらりと見た限りでは狭《せま》い物置のようだった。

レジナルドは立ちあがると、ハリスから地図を受け取りテーブルの上に広げた。

王国中部の詳細地図だ。ルイストンが南の端《はし》に描《えが》かれ、そこから北側の地形が詳細に記されている。

ルイストンを擁《よう》するハリントン州の北辺の一部と、銀砂糖子爵《ししゃく》の本拠地《ほんきょち》、ウェストルを擁するシャーメイ州の西側。そして今年の春、アンたちがレジナルドとともに騒動《そうどう》に巻きこまれたギルム州全体が、地図の上にある。

レジナルドはベルトに挟《はさ》んであった革《かわ》の入れ物からナイフを取り出し、その地図の上にいきなりどんと突《つ》き立てた。

アンがびくっとすると、レジナルドは笑って手招きした。

「見ろ」

恐る恐る近づくと、突き刺《さ》したナイフをレジナルドは目顔で示す。

「ウェルノーム街道《かいどう》」

言うなりナイフの柄《え》を握《にぎ》ると引き抜き、再び別の場所に突き刺す。

「ノーザンブロー」

さらにナイフを抜き、また突き立てる。

「ノーザンブロー近郊」

次々に場所を告げ、その度《たび》にレジナルドはナイフを突き立てた。

「コックエル」

「バンズ」

「バルクラム」

地図にいくつもの刺し傷《きず》ができた。最後にレジナルドは、ひときわ強くがつんとナイフを突き立てた。

「ビルセス山脈東部。ここが、最後の目撃《もくげき》地点だ。奴《やつ》らが目撃された日付順に、穴を開けた」

これほどの目撃情報を集めている妖精商人たちの情報網《じょうほうもう》に驚《おどろ》いた。彼らは妖精狩人《かりゅうど》ともつながりがあるし、また市場を利用する庶民《しょみん》ともつながりがある。そこから得た噂話《うわさばなし》や目撃談を頂点に吸い上げ、まとまった情報にするのだろう。

「これほどの情報を摑んでいるんですか？　なのにどうしてまだ、ラファルたちは見つからないんですか？　国王陛下は各州の州公に彼らを追わせてるのに」

「捕《つか》まらないのは当然だ。王家にはこの情報は渡《わた》っていない」

こともなげにレジナルドが言うので、アンは目を丸くした。

「渡ってないって、なぜですか」

「わたしが渡していないからに決まっているだろう？　王家との交渉《こうしょう》は、この先、幾度《いくど》となく様々な案件に渡っておこなわれる。手札は多い方がいい」

狼《おおかみ》らしい狡猾《こうかつ》な笑《え》みを、レジナルドは見せる。

「じゃ、なんでわたしたちに教えてくれるんですか？」

「おまえたちが奴らを発見してその正確な場所が分かれば、それが今度はわたしの手札になる。いっそ、奴らを捕まえてほしいものだ。そうすれば最高の手札だ。高値で買ってやるぞ」

「しません。そんなこと」

さすがにアンは眉《まゆ》をひそめた。シャルが吐《は》き捨てる。

「狼め」

射貫《いぬ》くようなシャルの視線を受け止め、レジナルドは含《ふく》み笑った。まるでシャルの憎しみを楽しむように薄笑《うすわら》いを口元に浮《う》かべたまま、地図に目を落とす。

「それでもおまえたちは、彼らを追うのだろう？　わたしにはありがたいことだ。さて、どうだ？　この情報で奴らを追えそうか？　妖精」

シャルは無言だったが、しばらくすると地図に目をやった。

「ルイストンから、迷いなく北に向かってるな。そしてギルム州で停滞《ていたい》している」

シャルの言葉に、アンも再び地図を見つめる。

彼らの足取りには迷いがない。逃《に》げ惑《まど》っているようには思えない確かさで、北に向かっている。そしてギルム州に入ってからは州内を動き回っていた。

——なんだろう。これ？

不自然さを感じて、穴の開いた地図を見つめる。

穴の開いた箇所《かしょ》に人差し指をあて、レジナルドのナイフが動いたとおりに指を滑《すべ》らせた。指はルイストンからまっすぐ北上し、ギルム州に入った途端《とたん》にゆるく円を描《えが》くようにして動く。まるで渦巻《うずま》きの中心へ引き込まれるように。

そして最後に行き着くのが、ビルセス山脈の東部。このあたりを、彼らは目指しているのだ。

「でも、どうして。ここ？」

なにかが、ひっかかる。アンはなにか大切なものを見落としているか、忘れている。

もう一度、彼らが目撃された順番に指を滑らせる。

北に向かい、ギルム州に入った途端に、指はゆるく円を描き、どこかへ向かう。なにかの中心を探そうとするかのように、ゆっくりと環《わ》を狭《せば》める。

――中心。二人の妖精が目指す場所……。妖精が向かう。妖精の何か……。

はっとして顔をあげた。

「中心って、真ん中のことだ……！」

アンはレジナルドに向き直った。

「ストーさん。この詳細地図と同じ縮尺で、王国東部、西部、南部と北部の地図。今ありますか？　あれば出して欲しいんです」

レジナルドがハリスに目配せすると、ハリスが物置から丸めた地図を抱《かか》えて出て来る。アンはそれを受け取るとすべてを広げ、床《ゆか》に並べ、王国全土が一目で見られるようにした。

つぎはぎの王国。しかしおおよその形は分かる。

南北に長い島国の中心に、穴の開いた箇所が集中している。

「やっぱり。ハイランドの真ん中……」

アンの呟《つぶや》きに、シャルが眉根《まゆね》を寄せる。

「なにかわかったのか？」

「思い出したの……。ラファルは王城に運びこまれた。そこへエリルが侵入《しんにゅう》した。彼らは王城に行った。そしてあそこで何かを知って、目的地を定めたのかもしれない。あそこには、あの人がいる」

耳に蘇《よみがえ》るのは、凜《りん》とした涼《すず》やかな声。

『ハイランドの真ん中に、最初の砂糖林檎《りんご》の木はある。見えるのに、見えない』

そう囁《ささや》いたのは、最後の銀砂糖妖精ルルだ。

「わたし、ルルに会わなくちゃ……」

「なぜ、ルルと奴らに関係があると？」

シャルに問われるが、アン自身も分からない。首を振《ふ》る。

「わからない。けどわたし、ルルに教えてもらったことがあるの。そのことと、彼らの行動が関係ある気がして。それがひっかかる」

二人の妖精《ようせい》がたどった道を見おろしていると、アンを誘《いざな》う、ルルの声が聞こえる気がする。

レジナルドは手にしたナイフを指でもてあそびながら、にやりと笑った。

「奴らが見つかることを期待しているぞ。見つけたら捕《と》らえるか、捕らえそこなっても奴らと遭遇《そうぐう》した場所と逃げた方角の情報はよこせ。せいぜい、殺されないように気をつけろ。情報もなく死んでもらっては、格安で情報を売ったぶんだけ損になる」

妖精商人らしい冷徹《れいてつ》な言葉を投げると、レジナルドは掌《てのひら》を出す。

「とりあえず、代金は十クレスだ」


謝礼を渡し、アンはレジナルドの元を辞した。ルルに会わなくてはいけないと、どこか気持ちが焦《あせ》っていた。なぜかルルに呼ばれている感じがする。

アンはルルの弟子《でし》で、数ヶ月間王城に滞在《たいざい》して修業《しゅぎょう》をした。しかしだからといって今、簡単に王城に出入りできる立場ではない。

ヒューの口添《くちぞ》えがあれば、銀砂糖子爵の使いとして王城に入ることはたやすい。しかしアンは昨日、王家勲章《くんしょう》をヒューに渡し、仕事を抜《ぬ》けると宣言したのだ。ヒューは頼《たよ》れない。

ルルに会うための方法をあれこれ考えながら、アンとシャルはとりあえずホリーリーフ城に帰った。ちょうどお昼で、妖精たちは小ホールに集まって昼食をとっていた。

シャルとともに小ホールに顔を出すと、妖精たちと一緒《いっしょ》に昼食をとっていたキースが笑顔で迎《むか》えてくれた。

「おかえり。どうだった？　なにか情報はあった？」

「やっぱりラファルたちは、ギルム州にいるみたい。彼らの目的を知るために、ルルと一度話した方がいいんだけど」

「彼らとルルに関係があるの？」

「確証はないけど、たぶん。でもどうやってルルに会えばいいのか、わからなくて」

するとキースが、こともなげに言った。

「僕が連絡《れんらく》をつけようか？　王城に勤めている何人かとは、まだ父の時代からの交流があるし。そのうちの誰《だれ》かに手紙を託《たく》せば、ルルのところへ届くのじゃないかな？」

「忘れてた！　キースって、銀砂糖子爵《ししやく》の息子《むすこ》で、貴族なんだ」

「正しくは、前銀砂糖子爵の息子で、元貴族、だけどね」

苦笑《くしよう》しながら、キースはアンの背に手を添《そ》えると長テーブルの方へ促《うなが》す。

「とりあえず昼食を食べれば？　そのあと手紙を書いてくれたら、僕がすぐに届けるよ」

「ありがとう、キース」

「どういたしまして。このくらいのことで感謝されるなら、いくらでも」

そう言いながらキースは、ちらりといたずらっぽい視線をシャルに向ける。シャルが一瞬《いっしゅん》だけ、むっとする。

「おっ、なんだ！　アンもシャル・フェン・シャルも帰ったのか！」

奥の長テーブルから、ミスリルがぴょんと跳《と》びだしてきた。そして自慢《じまん》たらしく、ぽっこりと膨《ふく》れた腹をさすってみせる。

「俺様はもう昼飯、食っちゃったぞ！　三人前だ！　おまえらも食えよ。あの狼《おおかみ》のところに行って疲《つか》れただろう？　なんかいい情報はあったのか？」

「あと一歩かな。ルルに確かめなくちゃいけないことがあって。それが終われば、出発できるよ。でもルルに連絡をつけるのが、すこし手間取りそうだから」

「なんで手間取るんだ？　ヒューにお願いして、王城へ連れて行ってもらえばいいじゃないか」

アンは言葉に詰《つ》まった。

昨日、王家勲章を返上してしまったことを、まだミスリルには教えていないのだ。このことを知ったら、ミスリルは責任を感じるかもしれない。

「あ、えっと。それは……」

「こいつは王家勲章を銀砂糖子爵に渡《わた》した。銀砂糖師の称号《しょうごう》を国王に返上する。銀砂糖子爵に頼《たの》み事は無理だ」

「シャル！」

ためらいなく告げてしまったシャルに、アンの方が慌《あわ》てる。しかしシャルは平然と答える。

「いずれ分かる」

「返上!?　なんでそんな馬鹿《ばか》なこと……いや。そもそも馬鹿だった！　それにしても限度を超《こ》えた馬鹿だぞアン！　馬鹿が悪化してないか!?」

「馬鹿馬鹿って……何回言ったの？」

さすがにここまで馬鹿を連発されると、肩《かた》が落ちる。

「だってわたしは、ミスリル・リッド・ポッドと一緒に行きたかったから。仕事を離《はな》れるなら銀砂糖師の資格はないってヒューが言うから」

「俺様は大丈夫《だいじょうぶ》だって！　だからアン、すぐにヒューに謝って王家勲章返してもらえよ」

アンは強く首を振った。

「ミスリル・リッド・ポッドが大丈夫でも、わたしは大丈夫じゃない。一緒に行かなければ、ずっと後悔《こうかい》する。わたしママが死んだとき、なにもできなかった。そのことが今でも悔《くや》しい。でもそれはしかたなかった。わたしにはできることがなかったもの。でも今は、できることがある。だからやりたいの。じゃなきゃ、わたしはずっと後悔する。ミスリル・リッド・ポッドのためじゃない、自分のためなの。だから、もう、馬鹿でいい」

ミスリルが目を丸くし、呆然《ぼうぜん》としている。

「自分のためなの。だから、許して」

「へんっ!!」

　くるりと背を向けると、ミスリルは傲然《ごうぜん》と言い放った。

「しかたないな、アンは馬鹿で手がつけられない。もう、わかったよ」

　そしてごしごしと、目元をこする。アンは微笑《ほほえ》んだ。

「ありがとう。ミスリル・リッド・ポッド」

「あれ～、アンもシャルも帰って来たんだねぇ」

　階段の方から、のほほんとしたベンジャミンの声がした。

「待ってて。これキャットのところへ運んだら、二人のお食事持ってくるからぁ」

　ベンジャミンはスープの皿を頭の上で支えて、ひょこひょこと階段をのぼってくる。彼が運んでいるスープは薄《うす》いスープで、どう見ても病人食だ。

「ありがとう、ベンジャミン。キャット、帰って来てるの？」

「そうなの～。お昼前に帰って来たけどね。ものすごい二日酔《よ》いだよ～」

「二日酔い!?」

　キースは肩をすくめる。

「絶望的な感じの二日酔いだよ」

「なにしてたの、キャット。昨日一晩、ヒューのところで」

「ヒングリーさんは、飲み比べしてたって、かろうじて言ってたけど」

「それで銀砂糖子爵に、つぶされたわけか」

シャルがしらけたように言う。

キャットは酒を飲むときはいつも、きつい蒸留酒を飲んでいる。けして酒に弱いほうではないだろうに、その彼が二日酔いとは。いったい何をどのくらい飲んだのか。

「聞こえたぞ!?　二日酔いだと!?」

背を向けていたミスリルが、くるりと振《ふ》り返った。その目はなぜか嬉《うれ》しげに輝《かがや》いている。

「情けない野郎《やろう》だな！　俺様が二日酔いの大先輩《だいせんぱい》として、二日酔い克服《こくふく》法を教えてやる。行くぞ、ベンジャミン」

「わぁい、助かるなぁ～」

「助かる」発言が本心かどうか怪《あや》しいベンジャミンを従えて、ミスリルはぴょんぴょんと嬉しそうに、右翼《うよく》の廊下《ろうか》へ走っていく。

二日酔いのキャットは、これからミスリルによって悪夢の時間を過ごすのだろう。

――はやく、ラファルを探しに行きたい。

ミスリルの姿を見送りながら、強く思う。アンの単純な頭のなかなど、筒抜《つつぬ》けなのだろう。キースはいたわるように、再度そっと背を押してくれた。

「さ、食事して。すぐに手紙を書いて。僕が届けるから、できるだけ早く」

キースの優《やさ》しい気遣《きづか》いが嬉しくて、心強かった。

優しく頼りになるキースの恋人《こいびと》になるならば、何も問題はない。それに比べてシャルの恋人になったときに、どれほどの問題を抱《かか》えるのか。しかもそれは自分ではなくシャルに抱えさせる問題で、不幸なのだ。

それでも、耳元で囁《ささや》いてくれたシャルの言葉が嬉しくて嬉しくて、とてもキースの恋人になれる気がしない。

――わたし、どうすればいいのかな……。

戸惑《とまど》いながらも、アンはとりあえず食事の席に着いた。

自分の気持ちに戸惑っていても、アンは立ち止まれない。

今はとりあえずミスリルのために、できることをできるだけはやく、すすめたかった。


キースはアンの手紙を、午後一番でルイストンの知人の元へ届けてくれた。三日以内には確実に届けられると、その知人は請《う》け合ってくれたらしい。

一日が終わり、ホリーリーフ城は寝静《ねしず》まっていた。

アンは自分に割り当てられている、二段ベッドの下段に横たわっていた。じっと上段ベッドの底を見あげていた。同じ毛布の中でミスリルの寝息《ねいき》が聞こえる。

けれどミスリルの命も元気な様子も、かりそめなのだ。それを思うと、またエマがベッドに横たわっている姿を思い出す。

不安が大きくなり、アンは無意識に枕元《まくらもと》を探《さぐ》った。しかし指先に触《ふ》れるものはない。

――そうか。わたし、王家勲章《くんしょう》を返したんだ。

アンはいつもその場所に、王家勲章を置いて眠《ねむ》っていた。仕事で不安な時、それを触《さわ》って眠ると気持ちが落ち着いた。自分は銀砂糖師なのだと、自分を奮い立たせることができた。

それを失ったことが寂《さみ》しくて残念なのは、どうしようもない。喜んで手放したものではない。

しかしなにもできずにただエマの死を見つめていた自分を思い出すと、今、ミスリルのために微力《びりょく》でもなにかをできるだけでいい。銀砂糖師の称号を失って心が痛くとも、かまわない。

そのうちアンは、目を閉じて眠っていた。


「アン」

耳元で囁かれ、気がついた。暗闇《くらやみ》の中、誰《だれ》かがアンに覆《おお》い被《かぶ》さっている。悲鳴をあげそうになった口を、やわらかで冷たい手が塞《ふさ》ぐ。

「静かにしたまえ」

聞き覚えのある声に、目を見開く。

カーテンの隙間《すきま》から入ってくる月光で、アンを覗《のぞ》きこむ美しい妖精《ようせい》の顔がぼんやりと確認《かくにん》できた。長くさらさらとした金髪《きんぱつ》が、アンの肩や鎖骨《さこつ》にふりかかっている。

最後の銀砂糖妖精ルルだった。彼女は、アンが自分のことを確認したらしいとわかると、口を塞いでいた手をゆっくりとどけてくれた。

「ルル……どうして、ここに」

「君が会いたいと手紙をくれたのではないか？　アン」

ルルはにっこり笑って、囁く。

「小娘《こむすめ》の寝込《ねこ》みを襲《おそ》うというのは、わくわくするものだな。変質者の気持ちが分かるぞ」

「とんでもない事を、嬉しそうに言うな」

静かなシャルの声が、上から降ってきた。シャルが腕組《うでぐ》みしてベッドの脇《わき》に立ち、客観的には、今まさにルルに襲われようとしているアンを見おろしていた。

ルルはふふっと笑って、身を起こした。

「わたしが部屋に入ってきたときから気がついていたのだろう？　黒曜石。声くらいかければ良いものを」

「声をかける暇《ひま》もなく、おまえはアンのベッドに直行した」

「わたしを呼んだのは、アンだからな」

ベッドの上に起き上がったアンをふり返り、ルルはちょいちょいっと指を曲げた。

「外へ行くぞ、二人とも。ここの連中を起こしてしまう」

さっさとルルが歩き出したので、アンは慌《あわ》ててベッドを下りた。シャルもアンと一緒《いっしょ》に、ルルを追って部屋を出た。

ルルは前庭に出ると、風をかぐように夜空に顔を仰向《あおむ》け目を細める。秋の気配がする空気は澄《す》んでいて、三日月がくっきりと浮《う》かんでいる。さらさらと風にながれる金の髪《かみ》も、金色の柔《やわ》らかな羽も、金色の月光が結晶《けっしょう》して形になったようだ。

「ルル。手紙、届いたんですね。わざわざ来てもらえるなんて、思わなかった」

庭の真ん中に立つルルに追いつくと、ルルはアンの方へ視線を向ける。

「ああ、今日の夕暮れ時に手紙が届いた。会いたいと書いてあったからな、夜の散歩ついでに来てやった」

「こんな遠くまで散歩ですか⁉」

「丘《おか》の下までは馬車で来た。マルグリットが、わたしを丁重《ていちょう》に扱《あつか》ってくれるものでな」

国王エドモンド二世の妃《きさき》マルグリットは、ルルの親友なのだ。その彼女がルルを気遣っているのは、ルルの寿命《じゅみょう》が近づき弱っているからに他《ほか》ならない。

「ルル。その後、体調は？」

訊《き》かずにはいられなくて、おずおずと問う。するとルルは、ははっと軽く笑った。

「なるようになっておるが。なに、気にするな。わたしほどいい身分の妖精も、おるまいからな。毎日満足している。それよりも、わたしに訊きたいことがあると手紙には書いてあったが」

「春の終わり頃《ごろ》だと思うんですけど。ルルは王城で、誰かに会いませんでしたか？」

「毎日、誰かには会っておるが？」

するとシャルが一歩前に出た。

「俺の兄弟石だ。ラファル・フェン・ラファルとエリル・フェン・エリル。そう名乗る二人だ」

「ああ。そ奴《やつ》らか。会った」

ルルはあっさり頷《うなず》いた。

「会ったんですか⁉」

「会ったよ。奴らもわたしと出くわして、びっくりしているようだったがな。素性《すじよう》を訊かれたから、答えた。そしてハイランドで、人間の手がおよばないところへ行きたいと持ちかけられた。六百年も生きているなら、心当たりくらいあるだろうと。まあ実際、あてがなくもなかったのでな。五百年、人間の手がおよばなかった場所を教えた」

「ルル。彼らはとても危険な……」

アンが言うと、ルルは軽く手をあげた。

「知っておるよ、奴らが何をしたかはな。しかし奴らは妖精王だ。名乗られて、すぐにわかった。まあ、名乗られなくとも分かったかもしれんな。シャル。君の容姿は、リゼルバ様によく似ている。ラファルの色彩《しきさい》は、リゼルバ様に似ている。エリルは……正直分からんな。一見して、リゼルバ様に似たところはない。しかし紛《まぎ》れもなく、奴らはリゼルバ様が生まれることを望んだ、妖精王」

ルルはアンをまっすぐ見つめると、申し訳なさそうに言った。

「奴らが人間にとってどんなに脅威《きょうい》だろうとも、奴らは妖精王なのだよ」

「奴らに教えた場所はどこだ？　五百年、人間の手がおよばなかった場所とは？」

シャルが問うと、ルルはため息をついた。

強い風が吹《ふ》き、庭を囲む木々がざわざわと葉擦《はず》れの音を立てた。足元でジージーと鳴く虫の声が、草のざわめきに驚《おどろ》いたように一瞬《いっしゅん》止まる。

「君たちは、彼らを追うのだな？　追ってどうする。人間に仇《あだ》なす者として、滅《ほろ》ぼすのか？　シャル・フェン・シャル。君の兄弟石たる妖精王たちを」

「彼らに訊きたいことがある。その目的を果たした後は、エリルについてはなにもするつもりはない。だがラファルは、罪を犯《おか》している。罪のない人間をたくさん殺し、仲間の妖精たちの片羽を奪《うば》い支配した。その罪の償《つぐな》いをさせる必要はある。だがそれは、おまえに関係ないことだ。俺が俺の責任で片をつける。ルル、言え。奴らに教えた場所はどこだ」

淡々《たんたん》としてはいるが、それは命じる声だった。いつものシャルの声なのに、その声に滲《にじ》む威《い》厳《げん》が、彼が妖精王であることを証明している気がした。

気負いなく立つその姿は、艶《つや》やかであり堂々としている。

「君も妖精王だ。シャル・フェン・シャル。奴らに教えて、君に教えないというわけにはいくまい。……三人の妖精王の行く末。運命にゆだねるしかないらしいな」

意を決したように、ルルはアンとシャル、二人を交互《こうご》に見る。

「最初の砂糖林檎《りんご》の木がある場所だ。そこには銀砂糖妖精の筆頭がいて、砂糖林檎の木を守っているはずだ。この世に砂糖林檎の木が生まれた時から、その木はそこにあり、筆頭はそこを守っている。人間たちはまだ、それを見つけられていない」

「どこだ。それは」

「ハイランドの真ん中」

その言葉に、シャルがはっとしたような顔になる。レジナルドのところで床《ゆか》に広げた地図を、彼は思い出したのだろう。

「だがわたしですら、その真ん中というのがどこを指すのか、具体的には知らん。ただ銀砂糖妖精に、口頭で伝えられ続けているのだ。もしものときのためにな」

ルルの最後の言葉が、アンは引っかかった。

「もしもの時？　もしもの時って、なんですか？　そもそも最初の砂糖林檎の木って、なんなんですか？」

金の睫《まつげ》が、何かを憂《うれ》うようにわずかに揺《ゆ》れた。

「いずれ分かる。最初の砂糖林檎の木を探すのは、砂糖菓子《がし》に関《かか》わるすべての人間とすべての妖精にとって、重要だ。だからわたしは最後の弟子《でし》であり、妖精王の思い人たる君に告げたのだ。その口伝を」

意味が分からずきょとんとすると、ルルが急に、はっとしたようにシャルを見やる。

「ああ、すまん！　黒曜石！　うっかり口走ってしまった！　アンが君の思い人だと！」

「おまえは……うっかりなのか？　わざとなのか？」

シャルが傍目《はため》にも脱力《だつりょく》したのが分かった。アンは、ルルの口から「シャルの思い人」などと言われ、急に耳が熱くなる。

「うっかりだ。すまん」

「別にかまわん。こいつはもう、知ってる」

「ほぉ！　そうなのか！」

目を輝《かがや》かせたルルは好奇心《こうきしん》むき出しで、にやにやしながらアンのそばにすり寄ってきた。

「どうだ。妖精王はよい恋人《こいびと》か？」

「え……。その……恋人とかでは、ないですけど」

もじもじしながら答えると、ルルは素《す》っ頓狂《とんきょう》な声を出した。

「なんだと!?」

二人を見比べ、シャルが不満そうにしているのを確認したルルは、呆《あき》れたように肩《かた》をすくめる。

「君たちは、ほんとうに馬鹿《ばか》者同士だな。つきあってられん。帰るぞ」

ルルは身を翻《ひるがえ》し、庭にはびこる雑草をさくさくと踏《ふ》んで坂道へ向かって歩き出した。

「帰れ。とっとと」

 苦々しく呟くシャルをその場に残し、アンは慌ててルルを追った。

「ルル！　すみません、ありがとうございます。あの、お体大事にしてください」

するとルルは立ち止まり振《ふ》り向き、とろけるような優《やさ》しい笑《え》みを見せてくれた。

「大事にするさ。君は妖精《ようせい》王と仲良くしろ。恋《こい》しあえる相手がいるのは、素晴《すば》らしいことだ。ためらうな」

再び歩き出したルルは、坂道の下へ姿を消した。

しばらくルルの姿が消えた方を見つめていると、切ない気持ちが押し寄せてくる。ルルの寿命も、もうすぐなのだ。そして彼女はもう延命を望んでいない。

今度はいつルルに会えるだろうか。

──もしかしたら、これが最後になるかもしれない。

それを思うと、切なくて切なくて、たまらない。

──摂理《せつり》だってヒューは言ったけど。摂理って、むごい。

しばらくするとシャルが近寄ってきて、背後からそっとアンの肩に触《ふ》れる。

「どうした」

「なんでもない……でも、よかった。ラファルたちの向かった場所が、わかった」

「出発するぞ。明日だ」

今はただ、ミスリルのために。アンは行くべき場所がある。

翌朝。

塗《ぬ》りが所々はげたおんぼろの箱形馬車に、アンは三樽《たる》の銀砂糖を積み込んだ。あとは保存食料と水。身の回りの品はわずかなので、旅支度《じたく》は簡単だった。

ホリーリーフ城の前庭に箱形馬車を引き出したアンは、御者台《ぎょしゃだい》に乗った。となりにはシャルが座り、アンとシャルの間にはミスリルがちょこんと座っている。

見送りに出てきたキースとキャットに、アンは御者台の上から頭をさげた。

「仕事を途中《とちゅう》で抜《ぬ》けてしまうこと、すみません」

「かまわねぇよ。謝るのは、こっちもだ。結局あのボケなす野郎《やろう》から、てめぇの王家勲章《くんしょう》をもぎ取れなかった」

キャットは自分のことのように不機嫌《ふきげん》な顔をしている。アンは苦笑《くしょう》した。

「いいんです。わたしは、自分で返したんです。納得《なっとく》してるんです」

「つぶされ損だったな」

容赦《ようしゃ》ないシャルの言葉に、キャットが呻《うめ》く。

「てめぇ……」

「本当のこと言われちゃったねぇ～」

主人の肩の上でベンジャミンが、にこにこしながら追い打ちをかける。

「アン、気をつけて」

キースは御者台に近づくと、手綱《たづな》を握《にぎ》るアンの手にそっと触れた。手の甲《こう》を軽く撫《な》でるように指を滑《すべ》らせたので、アンはどきりとした。そこはいつだったか、印だと言ってキースが口づけた場所だ。無言で、答えを待っていると告げられているらしい。

「シャル。アンを守ってね」

アンの手を離《はな》すと、キースがシャルに視線を向けた。シャルは軽く頷《うなず》く。

そしてキースの視線は、ミスリルへ移る。ベンジャミンも、キャットも、視線はミスリルに向いている。それに気がついたミスリルはふふっと笑って、腰《こし》に手を当て立ちあがった。

「おまえら、この俺様が仕事を離れることが不安でしかたないって顔をしてるな。そんなに不安な顔で見つめられると、気持ちいいぞ！　待ってろ、俺様は華麗《かれい》なる完璧《かんぺき》な復活を遂《と》げて、仕事に舞《ま》い戻《もど》ってやるからな！」

見送りの三人にびしっと指を突《つ》きつけて、ミスリルは高らかに宣言した。

「待ってるよ」

柔《やわ》らかく微笑《ほほえ》むキースとは逆に、キャットはすこし心配そうに眉根《まゆね》を寄せている。ベンジャミンは、ほわほわと手を振《ふ》る。

アンは城館の右翼《うよく》の窓に目をやった。窓から、ノアやアレルがのぞき見している。見習いの立場であり、勤勉な彼らは作業を休まないが、こうやって心配してくれている。アンは彼らに向かって笑いかけた。すると彼らも、笑顔を見せて頷いてくれた。

「じゃあ、行きます」

今一度見送りの三人に手を振ると、アンは馬に鞭《むち》をくれて箱形馬車を出発させた。

太陽の光は明るいが、風は心地《ここち》よくて初秋の気配がする。

箱形馬車はゆるい坂道を下る。ホリーリーフ城の姿が左右から張り出す雑木の枝葉に隠《かく》れ、背後に遠くなってきた。

丘《おか》を降りきると、アンは今一度ホリーリーフ城を振り返った。妖精たちの工房《こうぼう》がそこにある。それを思うと、誇《ほこ》らしくて嬉《うれ》しい。妖精たちの力が、こうやって形になっていく。

「おい、アン？」

隣《となり》に座っているミスリルが、ちょいちょいとアンのドレスを引っ張った。

「あれ、見覚えがある馬車だぞ」

ミスリルが正面を指さす。彼の指先にあるのは、まっすぐ続く道の脇《わき》に止められている、中型の格式高い馬車だ。黒塗《くろぬ》りで、扉《とびら》に六角形の白い文様が描《えが》かれている。

「銀砂糖子爵《ししやく》の馬車？」

アンがシャルに確認《かくにん》すると、彼も頷く。

「間違《まちが》いない。あそこにいるのは、サリムだ」

御者台に座り、こちらを待ち構えているのはサリムだ。彼はアンたちの姿を認めると、背後の荷台を振り返って、窓を軽くノックする。すると扉が開き、銀砂糖子爵の略式正装を身につけたヒューがゆっくりと降りてきた。

ヒューはこちらを待つそぶりで、道の真ん中に立つ。

アンは手前で手綱を引き箱形馬車を止めると、戸惑《とまど》った。

――どうしてヒューが？

どうすればいいのかと動けないでいると、ヒューがアンに向かって手招きした。

「とりあえず、行ってみる」

手綱をシャルに渡《わた》すと、アンは御者台を降りた。ヒューに歩み寄る。彼はいつもの、おおらかな笑みを浮《う》かべている。

「出発するらしいな」

アンはヒューに、王家勲章を突き返したも同様の無礼を働いたのだ。だから彼がそうやっていつものように笑顔でいるのが不思議だったし、自分はどんな顔をすればいいのか分からなかった。しかしきちんと、思いは伝えなくてはいけないはずだ。戸惑いながらも口を開く。

「うん。あの、ヒュー……ごめんなさい。でもわたしは、後悔《こうかい》してないから」

「ラファルを追ってどうする？　奴《やつ》を見つけられるのか？　見つけられたとしても、果たして奴から秘密を聞き出せるのか？　難しいぞ」

痛いところをつかれる。しかしそれは承知の上で、アンは旅立ちを決意したのだ。

「情報はある。それをもとに探せば、彼らを見つけるのは不可能じゃない。秘密を聞き出すためには、交換《こうかん》条件が必要だと思う。わたしが持っているのは砂糖菓子《がし》の技術だけだから、彼らに砂糖菓子を渡す。復活したといっても、彼は瀕死《ひんし》だったのよ。力を回復する砂糖菓子は欲しいはずだもの。それがわたしの行く意味にもなる」

ヒューに答えるというよりも、自分を勇気づけるように答えた。

「おまえさんの武器は砂糖菓子だけか。心許《こころもと》ない武器だな。それで勝てるのか？」

「勝てるかどうかは、わからない。けれど勝ちたいと思うから、行くの」

そうだ。アンは勝ちたい。ラファルにではない。ミスリルに訪《おとず》れた彼の運命に立ち向かって、彼を奪《うば》い去ろうとする運命に勝ちたい。

二年前。十五歳だったアンは知識もなく、仲間もおらず、砂糖菓子作りの経験も浅かった。その時エマを襲《おそ》った運命。アンはなすすべもなく、ただ呆然《ぼうぜん》と見つめているしかなかった。

だが今は違《ちが》う。脆弱《ぜいじゃく》ながらも、アンには武器がある。

怯《ひる》まずまっすぐヒューの瞳《ひとみ》を見つめていると、彼はふっと笑った。そしていきなり表情を改める。

「銀砂糖師アン・ハルフォード」

優《やさ》しく、しかし威厳《いげん》のある声で呼んだ。

彼は右手に握っていたものを、アンの目の前にぶら下げた。真っ白な石に彫《ほ》り込まれた、蔓《つる》薔薇《ばら》の文様は間違いなく王家勲章だ。

「銀砂糖子爵が命じる。王国中部の、砂糖林檎《りんご》の実りを調査して報告しろ」

意味が分からず目を見開いていると、ヒューは続けた。

「今年、ルイストン近辺の砂糖林檎の花は順調に咲《さ》き、実りもいい。だが王国全土がルイストン近辺と同様に、豊作の兆《きざ》しがあるとは限らない。そこでだ。王国全土へ砂糖林檎の実りの状《じょう》況《きょう》を調べるために調査員を派遣《はけん》する手配をすすめている。ちょうど王国中部への派遣要員が決まっていなかったので、おまえを任命する。旅の道程にある砂糖林檎の林に立ち寄り、実りの状況を調べろ。掌《てのひら》を出せ」

「……え……え?」

「出せ」

命じられるままに掌を差し出すと、そこに王家勲章が置かれた。

「ヒュー、これは」

「ホリーリーフ城での仕事から、砂糖林檎の調査の仕事へ移行しろ。仕事の内容を変えてやる。行ってこい」

呆然として、ヒューの顔を見つめていた。するとヒューは苦笑《くしょう》した。

「なんだ、その間抜《まぬ》けな顔は」

「でも、どうして。わたしは銀砂糖師として任された仕事を降りるから、責任を放棄《ほうき》するから」

「だから、銀砂糖師として任せる仕事を変えてやると言ってるんだ。おまえさんは、責任を放棄していない」

「それ……なんだか、ちょっと。誤魔化《ごまか》しっぽい」

「まあな。でも頑固《がんこ》なおまえさんは、許してやるから行って来いと言っても、素直《すなお》に王家勲《くん》章《しょう》を受け取らないと思ってな」

あっさりと認め、ヒューは肩《かた》をすくめた。

「どうしてこんな……。あ、まさかキャット!? ヒュー、またなにかキャットに要求して、その見返りにとか!?」

「あいつは俺につぶされただけで、関係ない。しかも残念ながら、今回はそんな面白《おもしろ》いおまけはついてない。言われてみれば、そうだな。あいつにまたなにか要求してやれば良かったか」

いたずらを思いついたようにヒューが目を輝《かがや》かせる。

「ヒュー。それはちょっと、キャットが気の毒すぎるから……。それにしても本当に、なんで」

今一度掌の王家勲章を見おろすと、ヒューが、ぽんとアンの頭に手を置いた。

「おまえさんが、砂糖菓子以外の何かのために仕事から離《はな》れるのが意外だったし、認められなかった。もし俺がおまえだったら、……俺は俺自身にそれを認めない。だからおまえさんが王家勲章を俺に渡したときは、受け取るのが当然な気がした。だがあのあと、キャットが俺のところに来ただろう？」

顔をあげると、ヒューの茶の瞳とぶつかる。

「あいつをつぶすのを楽しみながら飲んでたら、わかってきた。俺とキャットは決定的に違う。それは以前からずっと分かっていたが、だが……おまえさんと俺は近いと、俺が、勝手に思っていたってことがな。おまえさんにもキャットと同じように、俺とは違う道がある。銀砂糖師としての砂糖菓子との向き合い方は、それぞれだ。おまえには、王家勲章を俺の手に渡す程度には覚悟《かくご》もあるらしい。それも俺とは別の、銀砂糖師としての覚悟だ」

淡々《たんたん》と語るヒューに、アンはとても申し訳ない気がしてくる。

砂糖菓子そのものに情熱を傾《かたむ》け、すべてのことを犠牲《ぎせい》にするほどの職人を、ヒューは自分以外にも求めている。それは彼がその情熱ゆえに孤独《こどく》だからだろう。

しかしアンは、すべてを犠牲になどできない。ヒューと同じ生き方はできない。

「ヒュー、わたしは砂糖菓子が大好き。ミスリル・リッド・ポッドも大好き。砂糖菓子を作るなと言われたら、抜《ぬ》け殻《がら》になっちゃう。ミスリル・リッド・ポッドを見殺しにしたら、生涯後《しょうがいこう》悔《かい》する。それにくらべたら銀砂糖師の称号《しょうごう》を失うことは、また昔に戻《もど》るだけだから……。でもつらくなかったわけじゃない。比べて、どちらかを選べるものじゃなくて。すべてが、わたしを支えてくれるものだから。だから」

「わかってるさ。だから、行ってこい」

今一度頭を撫《な》でると、ヒューはきびすを返して馬車に乗り込んだ。その後ろ姿はいつもと同じ、揺《ゆ》るがず、強い。迷いなどない、銀砂糖子爵だった。

サリムが相変わらずの無表情ながら、わずかに口元を緩《ゆる》める。

「行ってらっしゃい。アン。旅の無事と成功を祈《いの》っていますよ」

掌にある王家勲章をぎゅっと胸に抱《だ》きしめて、アンは頷《うなず》いた。

「ありがとう、サリムさん」

サリムは頷くと、馬に鞭《むち》を当て馬首の方向を変えた。馬車はゆっくりと方向転換《てんかん》して走り出した。去りゆく馬車に向かって、アンは頭をさげた。

――ヒュー。ありがとう。

自分の手に戻ってきた王家勲章を握《にぎ》りしめ、アンは自分の箱形馬車へ向かった。

目指すのはギルム州。

三章　過去の城

ギルム州を真横に貫《つらぬ》くビルセス山脈は、王国の南北を隔《へだ》てるように続いている。この山脈のおかげで、南北を行き来する主要な街道《かいどう》は東西の沿岸部分にしかない。場所を選び、無理をすれば越《こ》えられる山脈だが、好きこのんでこの地を通る者は少ない。

ギルム州に入りノーザンブローを過ぎると、ビルセス山脈の姿が大きくなっていた。

ラファルとエリルが目撃《もくげき》された最終地点は、ビルセス山脈の麓《ふもと》だ。とりあえずその地を目指して、箱形馬車は移動していた。

ホリーリーフ城を出てから七日間。旅は順調だった。ウェルノーム街道を抜けノーザンブローを通過し、そこからまた北上し、荒《あ》れ地の街道を進んだ。

荒れ地といえどもブラディ街道ほど危険ではなく、左右には時々、貧しそうではあるが集落も現れる。昼食をとるために、アンたちは街道の脇《わき》に入り込み箱形馬車を止めた。

痩《や》せた木がまばらに生えているだけの林に降り立つと、そばには小川が流れていた。

小川の水音を聞きながら、ノーザンブローで手に入れた硬《かた》いパンをかじる。

ギルム州では夏の気配はすっかり去り、すこし肌寒《はだざむ》い。

「中部の砂糖林檎も順調に実ってるね」

今日の午前中に立ち寄った砂糖林檎の林を思い出しながら、アンはポケットに入れていた紙切れを取り出した。そこにはこの日までに立ち寄った砂糖林檎の林の場所と、実りの状況、病気の有無《うむ》、葉の状態などが書き記してある。

旅の道筋に逸《そ》れないように選びながら、ヒューに指示された仕事をこなすためにいくつかの砂糖林檎の林を訪《おとず》れていた。どの場所にある砂糖林檎も、今年は豊作の兆しがある。

──中部も、今年の砂糖林檎は心配ないよ、ヒュー。

ほっとしながら、紙を再びポケットにしまう。

パンを平らげると、アンは乾燥《かんそう》ハーブ茶の木製カップを手に取った。

「でも……砂糖林檎はいいとしても。ここからが問題よね」

空を見あげながら呟《つぶや》く。薄《うす》いちぎれ雲がぽつぽつと浮《う》かんでいる。

ルルはラファルとエリルに、最初の砂糖林檎の木があり、それを守る銀砂糖妖精《ようせい》の筆頭がいる場所を教えた。

確かに、人間には見つかっていない。しかしルルにしても、その正確な位置を知らない。そんな曖昧《あいまい》な、伝説のような場所を、ラファルたちは求めているのだ。とすると彼らは、その場所を探しあぐね彷徨《さまよ》っている可能性が高い。

そんな彼らを見つけられるのか。そしてもし見つけられたとき、彼らはどう反応するのか。

おさまらない胸の鼓動《こどう》に、いい加減腹が立ってくる。

しかし自分も悪いのだ。シャルがせっかく恋人《こいびと》になるかと訊《き》いてくれたのに、それに対して、「はい」とも「いいえ」とも答えていないのだ。

――たちが悪いのは、わたしか……。わたし、ずるい。

急に気持ちがしぼみ、手が止まる。

シャルの恋人になればシャルが不幸になると分かっているから、「はい」と言えない。けれど好きでたまらないシャルに「いいえ」と言うことが、どうしてもできない。

と、突然《とつぜん》。ミスリルが背後から、ひょいとアンの肩《かた》の上に乗った。

「ふふふふ……ふ～ふ～ふ～ふ～……」

不気味な笑い声をたてるので、アンはぎょっとした。

「どうしちゃったの、ミスリル・リッド・ポッド!? どこか具合でもおかしいの!?」

「失礼なこと言うな!」

ミスリルはキッと表情を改めると、肩から飛び降りてアンの横にひらりと着地する。

「さっきのを見て俺様はぴんときた! シャル・フェン・シャルがおまえの耳にキスしただろう」

言われると再び、ひやりとしている唇と温かい吐息《といき》の感触《かんしょく》が蘇《よみがえ》り、自分でも頬《ほお》が赤くなったのがわかった。

「あれはいつもみたいに、からかって。面白《おもしろ》がって」

「あれは面白がってるようには見えなかった。なんていうか、誘惑《ゆうわく》してるようだったぞ」

「誘惑!?」

ますます恥《は》ずかしくなり、できれば逃《に》げ出したいほど動揺する。

「誘惑なんて、シャルが。あ……でも、その……。ないよ、たぶん。そこまでは」

しかしその反応がまずかったらしく、ミスリルの目がキラリと光る。

「なんだ？　なんか妙《みょう》に慌ててるな。やっぱりなにかあるな。アンに対するシャル・フェン・シャルの態度が、このところ微妙《びみょう》に違《ちが》うと思ってたんだ。でも、今日のではっきりした。全然違うぞ。何かあったんだろう！　答えろ、アン！」

「え、そんな……何ってほどのことは」

「嘘《うそ》つけ」

「ほんとうに、別に」

すると突然、ミスリルがうっと呻《うめ》いて胸を押さえよろめいた。ぐらりと体が傾《かたむ》いたので、アンは慌てて果物を放《ほう》り出し、ミスリルの体を両手で受け止めた。血の気が引く。

「ミスリル・リッド・ポッド！」

悲鳴のような声で呼ぶと、ミスリルは掌《てのひら》の上でむくりと、平気な顔で起き上がった。

「……え？」

「分かったか？　俺様は明日をも知れない身の上なんだぞ、だから正直に言えよ」

「今のお芝居《しばい》!?　ひどい！」

「アンが正直に言わないからだ」

がっくりと力が抜《ぬ》けてしまった。放り出した果物が一つ、小川の流れにのって遠ざかっていくのが目の端《はし》に映る。

——果物が……。ほんとうに、人騒《ひとさわ》がせ。

けれどミスリルの言うことも、本当なのだ。彼の命は明日をも知れないし、彼はアンの恋《こい》をずっと応援《おうえん》してくれた心強い味方だ。

——言うべきだよね。

アンの掌から下り、あぐらをかいて偉《えら》そうにふんぞり返ったミスリルを正面に、アンはもじもじと答えた。

「ミスリルが倒《たお》れた夜。シャルがね。あの……シャルの恋人になるつもりがあるか、みたいなことを訊いてくれた」

口にすると、恥ずかしくてたまらない。

シャルとの距離《きょり》はかなり離《はな》れているし、こちらに背を向けていた。半透明《はんとうめい》の羽は地面に流れ、秋空のような清々《すがすが》しい薄《うす》い青色のグラデーションだ。

あの美しい妖精《ようせい》がアンに囁いた言葉は、今でもまだ現実感がない。

聞いたミスリルも、目をまん丸にしてしばらく口をぱくぱくさせていた。しかしようやく、おそるおそる口を開く。

「それ……本当か？　間違《まちが》いないか？　アンの幻覚《げんかく》って事は？」

「わたしもそう思ったけど。翌日に、もう一度シャルが同じ事を訊いてくれた」

ミスリルが拳を握《にぎ》り、ぷるぷると震《ふる》えた。そして次の瞬間《しゅんかん》、両の拳を突き上げた。

「やったー！　俺様の遠大な計画がとうとう実を結び、あのシャル・フェン・シャルが下心をもてあまして、アンみたいなかかし娘《むすめ》に、恋の告白をするなんて血迷ったことをしでかしてくれた！　俺様の計画は大成功だ！」

「……それって、血迷ってんだ……」

「血迷ってなくて、誰《だれ》がアンに色気を感じるんだ!?　だけど、それでいいんだ！　やったなアン。これで二人は晴れて恋人同士になったんだな!?」

「え、なってないけど」

「そうか！　うんうん。なってない……はあっ!?　なってないだって!?」

がくんと、ミスリルの顎《あご》が落ちる。

「馬鹿な!?　なってないのか!?」

「うん。まだわたし、答えられてないから」

「この。このこのこの、馬鹿《ばか》馬鹿馬鹿馬鹿。馬鹿アン！　告白された瞬間に自分から押し倒すくらいしろ！　奴《やつ》が血迷っている間に、押し倒せ！　今すぐ押し倒せ！　今行け、すぐ行け！」

「それってっ、どういう恋のアドバイス……」

あまりの前向きさに、アンの顔は引きつった。

「できるものなら、してるけど」

「できるできる。簡単だ。今すぐ奴のところに行って、胸《むな》ぐら摑《つか》んでキスしてだな」

「そうじゃなくてね」

言葉を探して、アンはしばらく沈黙《ちんもく》した。するとその沈黙に何を感じたのか、ミスリルは不安そうにアンの顔を覗《のぞ》きこんだ。

「なんだよ……その顔」

「シャルは昔、人間の女の子と幸せに暮らしてたんだって。けどその女の子が死んで、シャルは何十年も一人で苦しんで、孤独《こどく》に生きてきたみたい。もしわたしがシャルの恋人になれたら、わたしはとっても幸せで、これ以上の幸せはない。けどわたしは年をとって、シャルよりもずっと早くに死んでしまう。そしたらシャルはまた一人になって苦しんで、不幸になる。それよりもシャルは、同じような寿命《じゅみょう》の妖精と恋をして一緒《いっしょ》に生きる方が幸せなんだと思う」

「馬鹿なこと考えるな！」

いきなりミスリルは怒《おこ》ったように立ち上がり、びしっと人差し指をアンに突《つ》きつけた。

「好きな相手と恋人同士になることに、なんの不幸があるんだ！」

「でも、実際……」

「四の五の言うな！　けど、はっきりした。アンにはまだまだ俺様の手助けが必要だ！　俺様が元気なうちに、おまえとシャルにキスの一つもさせてやる！」

そう言うなり、ミスリルは駆《か》け出そうとした。

「ミスリル・リッド・ポッド！　まさかシャルに変なことを言うつもりじゃ！」

「俺様がそんな間抜《まぬ》けなことをするか！　見てろ、俺様さっき草むらの中で、いいものを見つけたんだ！　おまえとシャル・フェン・シャルは、すぐに立派な恋人同士になるぞ！」

ミスリルは川沿いに繁茂《はんも》する雑草をわさわさとかき分け、その中に姿を消した。

——なにするつもりかな～……。

不安でいっぱいだったが、ミスリルの心遣《こころづか》いは嬉《うれ》しい。彼なりにアンとシャルのことを大まじめに思ってくれている行動だから、迷惑《めいわく》でも、それなりにありがたい。

アンは残った果物だけを手に、シャルの元に帰った。そして一つを手渡《てわた》す。

「はい。果物」

「なにを騒《さわ》いでいた？」

不審《ふしん》げに問われ、引きつりながらも誤魔化《ごまか》す。

「たいしたことじゃないの」

シャルの掌にある果物はゆっくりと光に包まれ、溶《と》けるようにして彼の掌に吸い込まれてい

「はは……ははは、は……。やめとく」

ミスリルの応援《おうえん》手段が直接的すぎて、アンは顔が引きつった。

ミスリルはブツブツ文句を言い続けたが、アンもシャルも、怪《あや》しい薬草を口にすることなく出発した。そしてその夜は野宿をし、翌朝にはまた北上を続けた。


シャルはアンから手綱《たづな》を預かり、箱形馬車をすすめていた。ホリーリーフ城を出て八日目だ。昨日に比べて左右の景色はさらに荒涼《こうりょう》としていた。岩の多い荒《あ》れ地で、ビルセス山脈の姿もさらに大きくなっていた。

御者台《ぎょしゃだい》の隣《となり》で地図を広げていたアンが、きょろきょろと周囲を見回している。

この八日間。ミスリルのために先を急がねばという焦《あせ》りもあった。兄弟石たちとの対決を思えば、すこし憂鬱《ゆううつ》にもなった。しかし気持ちがどこか楽だったのは、ミスリルが砂糖菓子《がし》の力で元気を取り戻《もど》しているからだった。そして隣には、アンもいる。彼女の心やシャルの気持ちを乱すキースの存在が遠くなったことも、大きい。

アンはまだ、シャルの気持ちに応《こた》える様子はない。

かといって、キースの気持ちに応えるそぶりもなかった。

――このかかし頭で、なにをあれこれ考えている？

彼女が結論を出さない理由が分からない。思わず、じっとアンのこめかみあたりを凝視《ぎょうし》していた。あまりにぐずぐずしているので、嫌《いや》がらせにキスをしてやろうかと本気で思う。

あのうるさいミスリルに、シャルの気持ちを知られてしまったのだ。遠慮《えんりょ》はいらない。

すると、シャルの視線も知らぬげにきょろきょろしていたアンが、あっと声を出した。

「見て、シャル！　ミスリル・リッド・ポッド！　あれ、お城じゃない!?」

「おおっ！　そうだそうだ、城だ、城！」

ミスリルは荷台の上に飛びあがると、嬉しそうに声を弾《はず》ませる。

シャルはアンが指さす方に視線を向けた。ごつごつした岩肌《いわはだ》をさらす山間に、素朴《そぼく》な石造りの城が見え隠《かく》れしていた。

息を呑《の》んだ。

一瞬《いっしゅん》、目の前に真っ赤に躍《おど》る炎《ほのお》の記憶《きおく》が蘇《よみがえ》る。呻きそうになるが、歯を食いしばりこらえた。

地図をしげしげと眺《なが》めながら、アンが首をひねる。

「でも、変ね。地図にはあんなお城載《の》ってないけど」

隣にいるアンの声が、どこか遠くから響《ひび》くような感覚がする。

まざまざと、記憶が蘇る。

がらくたの宝箱と、猫《ねこ》と絨毯《じゅうたん》を背負って家出すると息巻いた、幼いリズ。『キスして』と言ってすり寄ってくるリズ。『あなたの愛していると、わたしの愛しているは違《ちが》う』と言って泣いたリズ。そして、彼女は灰になった。

「廃城《はいじょう》じゃないか？」

荷台の上からミスリルが地図を覗《のぞ》きこむが、アンは首を振《ふ》る。

「廃城でも城は目印になるから、書き込んであるものなの。おかしいな。あんなに目立つお城なら、地図を製作した人が見つけそこなってるなんてことないと思うけど」

街で売られている王国詳細《しょうさい》地図は、もともと王家の命令で作成されたものを基《もと》にしている。完成した地図は王家が権利を所有し活用するのだが、その恩恵《おんけい》を庶民《しょみん》にも与《あた》えるべく、複製することが認められている。地図業者は王家の許可を得て王家に対価を支払《しはら》い、複製をする。それを詳細地図として庶民に売るのだ。

しばらく城を見つめていると、沸騰《ふっとう》したように蘇った記憶の映像が薄《うす》れてくる。最初の衝撃《しょうげき》が去り、ようやくアンとミスリルの会話が耳に入る。

「地図はもともと、王家の都合で作られた。だから都合の悪いものは、載せていない」

口は開けるようになっていたが、近づく城から目を離《はな》せない。

「なにか知ってるの？　シャル。あのお城のこと」

「あれは廃城だ。五十年ほど前に城の存在意義である礼拝堂が崩《くず》れたのをきっかけに、放棄《ほうき》された……セントハイド城」

ミスリルはきょとんとしているが、アンははっとしたように城に目をやる。

「俺が生まれて、十五年間住んだ城だ」

ミスリルが、目を丸くする。

「生まれた場所ってことは、おまえの故郷なのか？　シャル・フェン・シャル」

シャルはアンの手にある地図を見た。地図の上には点々と、ラファルとエリルの目撃《もくげき》地点が示してある。そして最後の目撃地点。

「この地図の位置から計れば、ラファルとエリルが最後に目撃されたのはあの城の近くだ」

最後の妖精《ようせい》王リゼルバ・シリル・サッシュの剣《けん》が奉《まつ》られ、隠されていた城。シャルとラファルが生まれた場所。そしてシャルが、リズとともに十五年間暮らした場所だ。

リズが殺されてから一度も、シャルはそこに近づくことはなかった。楽しい思い出とともに、重くつらい記憶が蘇るからだ。

──殺した。人間たちが。

我知らず、手綱を強く握《にぎ》っていたらしい。その手にアンが触《ふ》れた。

「シャル。あそこまで行く必要ない。この近くに野宿して、それから」

心配そうな目の色に、アンの気遣《きづか》いが分かる。触れた手から、優《やさ》しさがシャルの中に流れ込むと、心の中に燃え上がりそうになる憎《にく》しみが小さくなる。

首を振ると、挑《いど》むようにセントハイド城を見あげる。

「奴《やつ》らがここに現れたからには、行くべきだ」

「でもシャルは……」

「大丈夫《だいじょうぶ》だ。おまえがいる」

アンはわけがわからないというように目をしばたたいた。

「わたし、あんまり役に立つとは思えないけど」

「おまえはただ、いればいい」

アンはシャルの中にたぎる憎しみを鎮《しず》める、唯一《ゆいいつ》の存在だ。

ふと、城の近くに人影《ひとかげ》を見た気がした。目をすがめてよく見ようとしたが、箱形馬車が進むと、手前に盛りあがる岩肌に邪魔《じゃま》されて城の姿が消えた。

——奴らが潜《ひそ》んでいても不思議はない。

だが、それこそ望むところだ。

——俺たちを見つけろ、ラファル、エリル。ここに来い。


そのまま箱形馬車は曲がりくねった道を上り、セントハイド城へ向かった。

セントハイド城は、背後に崖《がけ》を背負うようにして立っている。建設されたのが五百年前だけあって、城壁《じょうへき》や天守を構成している石の削《けず》りは粗く、形も不揃《ふぞろ》いだ。その不揃いな形を器用に隙《すき》なく組み合わせて、平面を作っている。

城門を塞《ふさ》ぐ木製の大扉《おおとびら》は朽《く》ちて、ぽかりと口が開いている。城門をくぐると、外郭《がいかく》の開けた場所には乾《かわ》いた雑草がはびこっていた。城壁の一部が崩れ、石がごろごろと転がっている。わびしい景色だ。天守の壁《かべ》には黒ずんだすすの跡《あと》が残る。

――火事の跡？

それを見て、アンはぞっとした。いったいここで何があったのか。そしてシャルは、何を経験したのか。リズはどうやって殺されたのか。

ここにシャルを連れて来るのは、よくない気がする。しかし彼が必要だと言い、大丈夫だと言っているのに、無理矢理《むりやり》ひきとめるのもどうかと思った。

迷いながらも、アンはシャルに従った。

陽《ひ》が傾《かたむ》きかけていたので、今夜はここで夜明かしをすることになった。

とりあえず雨風を防げる壁と屋根があるのは、ありがたい。

三人は天守の一階出入り口の広間に、薪《たきぎ》を集めて火をおこすことに決めた。

好奇心旺盛《こうきしんおうせい》なミスリルも、さすがにシャルの生まれた場所と聞いて遠慮しているのか、階上へ行ってあれこれ城の中を探索《たんさく》することはしなかった。

シャルは城に入るなり、城内をくまなく見て回った。ラファルたちが潜んでいることを警戒《けいかい》してだ。城の構造を熟知しているシャルは効率的に歩き回り、すぐに確認《かくにん》を終わらせた。

ラファルたちの気配がないと分かると、シャルはいつものように焚《た》き火の準備をしてくれた。懐《なつ》かしさよりも、空《むな》しさが勝《まさ》っているのだろう。シャルはそれ以上、城の中を見て回るつもりはないらしく焚き火の番に専念していた。

いつも以上に口数が少なくなったシャルに触れてはいけない気がして、アンも、黙々《もくもく》と夕食の準備をする。

野菜を刻んで鍋《なべ》に放《ほう》りこむ。その鍋を持って外へ出ると、箱形馬車の脇《わき》に取り付けられている水の樽《たる》から、鍋に水を注ぐ。

——シャルは、リズのことを思い出してるのかな。

美しかったという、リズ。彼女はシャルに恋《こい》したに違いない。それを思うと心が塞ぎそうになるのは、二人の運命が不幸だったという事実を再認識するからだ。

人間と妖精が慈《いつく》しみあった結果が、シャルの過去なのだ。

——駄目《だめ》だ。今はこんな事考えている時じゃない。近くに、ラファルたちがいるかもしれない。彼らが現れたらどうするべきか考えなくちゃ。

水を満たした鍋を、力をこめて持ち上げると気合いを入れた。鍋を手に天守の中に入った。

シャルがおこしてくれた火に鍋をかけ、スープができあがる頃《ころ》には、日も沈んですっかり暗くなっていた。煮崩《にくず》れた野菜と肉の脂《あぶら》でとろみがついたスープをかき回しながら、アンは出入り口の方を振り返った。

「ミスリル・リッド・ポッド、まだ帰ってこない。どうしようかな、もう食事ができたのに」

ミスリルはアンが夕食の準備を始めると、外郭の周囲に生《お》い茂《しげ》る雑草の中にいそいそと潜《もぐ》りこんでいったのだ。

シャルは片膝《かたひざ》を立て、もう片方の足は投げ出して座っていた。じっと炎《ほのお》を見つめている。

「ラファルとエリルが目撃されたのは、この周辺だ。ミスリル・リッド・ポッドはともかく、おまえはふらふらと一人で歩き回るな」

「わかった。でも、ラファルとエリルは見つかるかな?」

小枝を火に投げ込み、シャルは物思わしげに顔をしかめる。頬《ほお》に、彼の長い睫《まつげ》の影《かげ》が揺《ゆ》れる。

「この近辺で目撃されてから、それほど時間は経《た》っていない。奴らが求めるのは、王国の中心という曖昧《あいまい》な場所だ。この城の周囲が該当《がいとう》の場所だ。この近辺を彷徨《さまよ》っていると見ていい。俺たちが奴らを見つけるよりも、奴らが俺たちの存在に気がつく方が早いはずだ」

あの二人は、今どこにいて、どのような精神状態なのか。想像するしかないが、心穏《こころおだ》やかに過ごしているとは思えない。

人間の手のおよばない場所を求めたという彼らだ。とにかく人間の手から逃《のが》れたいと、そればかり思っているかもしれない。

そうだとすれば、冷静な会話などできそうもない。

──彼らに出会ったら、刺激《しげき》しないように。そしてなにより、シャルを危険な戦いに挑ませないようにしないと……。

「おう、夕飯ができたな！」

出入り口に小さな影がひょこりと現れた。暗闇《くらやみ》の中、小さな影がもさもさと揺れた。ミスリルだ。もさもさして見えたのは、両腕《りょううで》にいっぱい、細長い葉の雑草を抱《かか》えているからだ。

「おかえり、ミスリル・リッド・ポッド。ちょうどスープができたのよ」

「そうか。アン。なら、これをそのスープに入れてくれ！」

火に近づくと、ミスリルは胸を張って、抱えていた草の葉を突《つ》き出した。

「却下《きゃっか》だ」

シャルが、ミスリルの腕《うで》からばしりと草の葉を叩《たた》き落とす。

「あっ！　なんてことするんだ！　これは昨日の薬草とは違《ちが》うんだぞ！」

「なら効能はなんだ？」

「昨日の薬草の倍効く！」

「薬草のかわりに、おまえを鍋に叩き込む」

ひっ捕《つか》まえようとしたシャルの手を、ミスリルは危《あや》うく飛んでかわして喚《わめ》く。

「そんなことしたら俺様即死《そくし》だろ！　おまえ、旅の目的忘れてるな!?」

アンは、冷や汗《あせ》をかきながら笑うしかなかった。

「ま、二人とも。とりあえずご飯食べようよ」

アンたちは今日も無事に、怪《あや》しい薬草を口にすることなく夕食を終えた。

焚き火の周囲にそれぞれ横になり、毛布にくるまった。荒野《こうや》ではないので、焚き火の番が必要ないのがありがたい。建物の中にいれば風にさらされないので、毛布にくるまっていれば火がなくとも暖かい。

アンはミスリルを抱《だ》いて毛布の中にもぐると、すぐに眠《ねむ》ってしまった。

どのくらい眠ったのか、石の床《ゆか》を歩くブーツの音で目が覚めた。焚き火の炎は小さくなり、周囲を照らす明かりは頼《たよ》りない。アンたちが横になっている空間は、出入り口と反対方向に、城の奥へ続く廊下《ろうか》や階上へ続く階段がある。その階段をゆっくりと上がっていくシャルの後ろ姿が、ぼんやり見える。彼の後ろ姿は闇《やみ》に溶《と》けるように、消えていく。

――ここはシャルが、リズと過ごした場所。

その場所を一人彷徨うのは、危うい気がした。もしアンが、エマと二人で過ごした思い出の場所にひとりぼっちで立ったなら、切なさで苦しくてたまらなくなる。でも誰かが一緒《いっしょ》にいてくれれば、切なさは体の中をむしばむことなく外へ流れ出てくれるものだ。

――二人は、よくない。

ミスリルを起こさないようにそっと毛布を抜《ぬ》け出すと、焚き火の端《はし》に飛び出していた薪を摑《つか》んだ。先端《せんたん》が小さく燃えているのが、明かり取りには好都合だ。

それをかかげて、急いでシャルが消えた階段をのぼった。

階段は折れ曲がりながら、上へ続いている。各階の踊《おど》り場の窓はぽかりと口を開いているので、月明かりで周囲がよく見える。

シャルの足音が上へ上へとのぼっているので、追いかけた。そして最後に辿《たど》り着いたのは、城壁の歩廊《ほろう》の上だった。歩廊に出た途端《とたん》、乾いた強い風がびゅっと吹《ふ》きつけた。

「わっ！」

思わず声が出た。翻《ひるがえ》ったドレスの裾《すそ》に慌《あわ》て、薪を壁にもたせかけると裾を押さえる。

歩廊の上を歩いていたシャルが、驚《おどろ》いたように振《ふ》り返った。アンの姿を認めると、訝《いぶか》しげな顔をする。

「何をしている」

「あ、うん。その……散歩」

答えると、シャルが呆《あき》れたようにきびすを返してこちらに向かってくる。

「そんな心配顔で、散歩か。俺が暴れでもするように見えたのか？」

「ううん。ただ、一人はよくない気がして」

「常におせっかいだな」

　シャルは階段室の出入り口に腕をかけ、アンを見おろす。そしてふっと笑うと、視線を空に向ける。三日月は秋らしく夜空の高いところにあり、光は冴《さ》えている。星の輝《かがや》きは鋭《するど》い。

「この城にいると、いやでも……リズのことを思い出す。たしかに、よくはない」

「思い出のたくさん残ってる場所に来るのは、つらいよね、たぶん」

　訊《き》くともなしに呟《つぶや》くと、シャルは意外にも首を振る。

「リズのことを思い出しはするが、ここには、もう何も残っていない。不思議だ。あれほどの幸福や、不幸が折り重なるようにして城を満たしていたのに。空っぽだ。この城そのものには愛《いと》しさも憎《にく》しみも、感じない」

　切なげに、シャルの瞳《ひとみ》は夜空を見つめて動かない。言葉は、心の中にあるものが意識せずに口からこぼれ出たようだった。

「俺を愛していると、リズは言った。だからリズは俺の存在を隠《かく》し、逃《に》がし、その罰《ばつ》として殺され焼かれ、灰になった。俺はリズを殺した連中を許せなかった。一人、一人、探し出して殺した。何年かかったかは、よく覚えていない。何十年か、かかったかもしれない。だが最後の一人を殺した後は、もう、なにもかもどうでもよくなった。ぼんやりしていたら、あっという間に妖精狩人《ようせいかりゅうど》に捕まった」

　──何十年も？

　復讐《ふくしゅう》のためだけに彷徨うシャルの姿を想像すると、胸が苦しくなる。そんな残酷《ざんこく》な時間を彼が過ごしたことが哀《かな》しい。

「リズを愛してたの？」

「愛していた」

シャルの答えを聞くと、分かっていても胸が苦しくなる。

リズを愛したからこそ、シャルは復讐に燃え、そしてそれが終わった後に抜け殻《がら》のようになったのだ。人と妖精がともに慈しみあった結果が、そうなのだ。

「愛していた。幼く無邪気《むじゃき》なものが愛しかった。あいつが大人になっても、その気持ちは変わらなかった。だがリズは俺に、別の愛を求めていた。あの時は、リズが俺に求めるものが分からなかったが、今ならわかる。リズが俺に求めていた愛は、俺がおまえに求める愛と同じだ」

言うなり、シャルはいきなりアンの腰《こし》を抱《だ》き寄せた。

おどろいて目を見開くと、綺麗《きれい》な黒い瞳がじっとアンを見つめる。吸い込まれそうな深い、黒。静かに問われる。

「聞きたい。おまえの思いはどこにある？」

できるならば、今すぐ答えたかった。

——ずっと、ずっと。わたしの思いは、シャルにある。たぶん、出会った時からずっと。

心の中で、叫《さけ》びたいほど強く思う。けれどそう答えてしまえば、シャルが不幸になる道を選ぶことになる。シャルがまた地を彷徨《さまよ》い、抜け殻になるような思いをさせるかもしれない。

シャルの形のよい指がアンの顎《あご》を撫《な》で、答えを促《うなが》すように上を向かされる。

「教えろ、アン」

「……わたし……」

思わず口を開きかけた、その時。

強い風が吹き抜けた。

「違う種族がともに生きるのは不幸だぞ。忠告を忘れたか？　シャル・フェン・シャル」

朗々と、夜の世界に響《ひび》き渡《わた》る声がした。その声に、アンはぎくりとした。シャルは反射的にだろう、アンを階段室の壁《かべ》に押しつけるようにして背後に庇《かば》い、身構えた。

柔《やわ》らかな薄緑《うすみどり》色だったシャルの羽に銀の硬質《こうしつ》な輝きが一気に広がり、ぴりっと震《ふる》えると張りつめた。

シャルの視線は、歩廊の先に見える塔《とう》の出入り口に据《す》えられていた。

そこに、燃えるような艶《つや》めく銀赤の髪《かみ》をした妖精がいた。

上衣《うわぎ》の袖口《そでぐち》や裾に細かなレースや刺繍《ししゅう》、ビーズをあしらった華《はな》やかな衣装が、月光を跳《は》ね返して輝く。腰には、一振《ひとふ》りの剣《けん》をはいている。羽は銀赤に輝き張りつめている。人を惑《まど》わすような柔らかで怪しげな微笑《ほほえ》みをたたえてはいるが、緑色の瞳はぞっとするほど冷たい。

悪寒《おかん》が背筋を走る。一瞬《いっしゅん》、呼吸を忘れてその妖精を見つめた。

「ラファル・フェン・ラファル」

シャルが呻《うめ》く。

笑顔《えがお》でこちらを見つめるのは、シャルの兄弟石の妖精だ。微笑んでいる。微笑んでいるのに、全身でアンに憎しみを抱いているのが分かる。

「……どこから。いったい……」

震える声で呟くと、シャルが緊張《きんちょう》した声ながらも静かに答える。

「おそらく……城の背後だ。崩《くず》れた礼拝堂跡《あと》から、歩廊へあがる道があるはずだ。俺たちの姿をどこかで見ていて、侵入《しんにゅう》してきたんだ。いいか、そこを動くな」

命じられ、アンは頷《うなず》く。

以前、荒野の城砦《じょうさい》に捕《と》らえられていたときの記憶《きおく》が蘇《よみがえ》り、膝《ひざ》が震え出しそうだった。ラファルが目覚めたと知ってはいたが、それでも目《ま》の当たりにする恐怖《きょうふ》は、また別だ。

――彼に、訊かなくちゃ。

ラファルたちを追ってきたのだから、彼らの出現は予想の範疇《はんちゅう》だ。そもそも彼らに出会うことこそが目的だったのだ。彼らのほうから現れてくれたのは幸運だ。

そう思うのだが、体がすくんで相手に呼びかけるほどの大きな声が出ない。

ラファルの緑の瞳には、追い詰《つ》められた獣《けもの》のように殺気がある。彼らがどれほど追っ手に怯《おび》え、そして警戒《けいかい》していたのか。その目を見ればよく分かる。

冷静な会話など、成り立つ余地がないのは明らかだ。

——どうしよう。

シャルは背後のアンに気を配りながらも、ゆっくりと階段室を離《はな》れて歩廊に歩み出る。

——エリルは？　エリルが現れたら、シャルは絶対に不利になる。

目で周囲を探《さぐ》り、エリルの気配を探そうとした。しかし恐怖と焦《あせ》りで混乱したアンには、妖精の気配など分からなかった。

「久しぶりだなシャル・フェン・シャル。また会えて嬉《うれ》しいよ。相変わらず綺麗な色の瞳だ」

会いたくてたまらなかった、親しい友人に向けるような優《やさ》しく甘い口調だったが、目だけがその優しさを否定する。獲物《えもの》を狙《ねら》う目だ。

「俺も、会えて嬉しいと言っておこうか。おまえに訊きたいことがある」

シャルも冷たい笑みを口元に浮《う》かべる。

風が吹き、銀赤に艶めくラファルの髪がなめらかに躍る。

「残念だが。わたしには、もはやおまえに話したいことなどないよ」

ラファルに微笑みながら腰にある剣を抜《ぬ》いた。シャルが眉《まゆ》をひそめた。

「よせ。ラファル」

「二度も殺されるつもりはないぞ！」

相まみえた喜びに突《つ》き動かされるように、いきなり、ラファルが駆《か》けた。

シャルは右の掌《てのひら》を上に向けると、そこに銀の光の粒《つぶ》を集約させる。白銀に輝く剣をシャルが握《にぎ》った瞬間《しゅんかん》、ラファルが真っ正面に来ていた。

横なぐりに振《ふ》り抜かれた刃《やいば》を、シャルは背後に飛んでかわした。姿勢を低くし剣を構えると、間髪《かんはつ》を容《い》れず突進《とっしん》した。

低い姿勢から斬《き》りかかられ、ラファルは二、三度大きく背後へ跳躍《ちょうやく》する。

あきらかにシャルに圧倒《あっとう》されるラファルに、アンは違和感《いわかん》を感じた。

シャルも同様らしく、ぼそりと呟いたのが聞こえた。

「武器に不慣れだな」

その呟きに、アンはラファルに感じる違和感の正体に気がついた。

——彼の使う武器が違《ちが》う。

ラファルは以前、糸のように長く細い刃を自在に操《あやつ》り戦っていたはずだ。それが彼の特殊《とくしゅ》能力で、それには散々苦しめられた。

目覚めたとは言え、一度死に瀕《ひん》したのだ。ラファルが本来の力を取り戻《もど》していないのは当然かもしれない。しかし彼は目覚めて数ヶ月経《た》っている。未だに力が回復しないのは、なぜだろうか。

「遠慮《えんりょ》はしない。砂糖菓子《がし》を手に入れられなかったのだろうか。訊《き》きたいことを、訊かせてもらう」

言うなり、シャルは再び駆けた。ラファルの正面に飛び込んだ。

ラファルが刃を振り下ろすのと同時に、シャルの髪が横に流れた。髪の房《ふさ》が一筋刃《やいば》にかかって散ったが、シャルの体は刃をすり抜け横に飛んでいた。剣を振り下ろした勢いでラファルの脇《わき》に隙《すき》ができる。そこへ向かってシャルの銀の刃が流れる。

シャルの刃は、的確にラファルの脇を捉《とら》えようとしていた。

彼らの動きは速すぎて目で追えない。それでも彼らを凝視《ぎょうし》していたアンは、その視界の隅《すみ》に何か光るものが走ったのを捉えた。

本能的に、危ないと感じた。

「シャル！」

その声に反応して、シャルが突然《とつぜん》刃を引いて背後へ飛んだ。

いままでシャルの体があった位置に短めの剣が飛来し、石と石の隙間《すきま》に突き刺《さ》さっていた。その剣はすぐに、きらきらと光ると霧散《むさん》した。

──これは!?

ラファルがシャルから数歩離れ剣を構え直すが、シャルの視線は歩廊《ほろう》の先を見つめていた。アンも彼の視線を追った。

歩廊の先。吹《ふ》き抜ける乾《かわ》いた風に銀の髪をゆらし、線の細い少年妖精《ようせい》が立っていた。青いストールをゆるく肩《かた》に巻き、まるで風に押されるかのようにふわりとした足取りでこちらに向かってくる。銀の長い睫《まつげ》と、白い頬《ほお》。少年の姿なのに、シャルやラファルと同じように、したたるような艶《つや》やかさがある。エリル・フェン・エリルだ。

その左右の手には、シャルの剣よりもいくぶん短い、しかしシャルの剣と似た輝《かがや》きの刃を握っていた。

エリルには殺気も悪意もない。なのに、剣呑《けんのん》さがある。研《と》ぎ澄《す》まされた刃のようだ。剣そのものには殺意はないのに、簡単に人を傷つける存在。

——二人に話をしないと……。

そう思うのだが、彼らのほうは、戦う以外の選択肢《せんたくし》がない様子だ。

シャルは剣を構え、ラファルとエリルを牽制《けんせい》する。

「エリル。剣を収めろ。話を聞け。俺は二人を捕らえに来たわけでも、殺しに来たわけでもない。いずれラファルには、俺から過去の罪を問う。しかし今はただ訊きたいことがあるから、探していただけだ」

ラファルがじりじりと後ずさりエリルと並ぶ。柔らかに微笑み、エリルを見やる。

「遅《おそ》くはないか？　エリル」

冗談《じょうだん》交じりに軽くなじるラファルに、エリルはぼんやりした表情で、すこし眠《ねむ》そうに答える。

「風が気持ちよくて……。ねぇ、ラファル。シャルは、訊きたいことがあるっていってるけれど？　僕たちを捕《つか》まえに来たのじゃないって」

「なんども言って聞かせているだろう？　彼は人間の手先だ。人間のために、わたしを殺そうとした。その証拠《しょうこ》に今も、そこに人間を連れている」

「そうか。やっぱり、そうなんだね」

どこか茫洋《ぼうよう》としていたエリルの銀の瞳《ひとみ》に、すっと冷たい光が宿る。

──いくらシャルでも、二人同時に相手は無理。

シャルの全身が緊張している。アンですら感じている不利を、シャルも実感しているのだ。

エリルの技量は、おそらくシャルと互角《ごかく》だ。ノーザンブローでシャルと対峙《たいじ》したエリルを目の当たりにしているので、アンにはそれがよく分かった。そしてそのうえ今は、ラファルがいる。彼独特の武器を使っていないとはいえかなりの戦力だ。

ラファルたちの殺気は本物だ。シャルが負けるとは思えないが、間違《まちが》いなくひどい傷を負う。

焦りが喉元《のどもと》にせりあがってくる。

両脇《りょうわき》に提《さ》げ持っていた剣《けん》を、エリルがゆっくりと構えた。ラファルも剣を構え、シャルも覚悟《かくご》を決めたように剣を構えなおし二人の動きを注視する。

──戦っちゃいけない！

彼らの間に張りつめるものが、きりきりと引き絞《しぼ》られて高まっていく。風が吹けば、それを合図に緊張《きんちょう》の糸がはじけるだろう。

「駄目《だめ》！　待って！」

アンはシャルの前に飛び出していた。

四章　無垢なる者と銀砂糖

シャルがぎょっとしたのがわかったが、アンはシャルを背後に庇《かば》うように立ち、声を張った。

「ラファル！　エリル！　砂糖菓子が欲しくない!?」

エリルはきょとんとしたが、ラファルの表情が動く。

「わたしたち、ラファルに訊きたいことがあるの！　もし教えてくれるなら、わたしはあなたのために砂糖菓子を作る。望む限り、作る！」

「アン!?」

驚《おどろ》いたようにシャルが背後から声をかけるが、アンは強く首を振る。

「このままじゃ、二人とも話すら聞いてくれない。それじゃ、どうしようもない。力尽《ちからず》くで二人を捕《と》らえたって、教えてくれそうもない。シャルだって怪我《けが》をするかもしれない」

「砂糖菓子？」

不思議そうにエリルはラファルに問いかける。生まれて間もないエリルは、砂糖菓子が何か知らないのだろう。

――けれどラファルは違う。

ラファルは砂糖菓子の力を実感として、よく知っている。そして瀕死《ひんし》の状態から復活したとはいえ、彼が以前通りの力を取り戻しているとはとうてい思えない。シャルとの戦いを見ても、それは明らかだ。

今のラファルは、砂糖菓子がなによりも欲しいはずだ。取引の材料になる。

緊張と恐怖《きょうふ》で首筋に嫌《いや》な汗《あせ》が流れる。シャルが背後から、呻《うめ》くように囁《ささや》く。

「引け、アン」

アンは今一度首を振《ふ》った。

「引かない。これがわたしが一緒《いっしょ》に来た、強みだもの」

銀砂糖師の責任を放棄《ほうき》し、ヒューを怒《おこ》らせ、一度は王家勲章《くんしょう》まで手放した。そうしたのは、自分の持てる力を限界まで利用して、ミスリルを助けるためなのだ。

——ミスリル・リッド・ポッドを必ず助ける。

相手から目をそらすことなく、返事を待つ。

——ママ……。ママのためにできなかった分を、ミスリルのためにしたい。だから、守って。

震《ふる》えそうになる膝《ひざ》を気力で抑《おさ》えこみ、アンはラファルを見つめ続けた。

「取引しましょう。わたしたちは、あなたに訊きたいことがある。教えてくれたら、砂糖菓子をいくらでも作る。いずれあなたには犯《おか》した罪を問いたい。けれど今は、問わない。あなたに教えてもらいたいことがあるから」

ラファルはたくさんの人間を傷つけ、殺した。妖精たちの羽を握《にぎ》り無慈悲《むじひ》に支配した。それは許せないし、いずれは罪を償《つぐな》わせたい。しかし今だけは彼の協力が必要なのだ。

ラファルの銀赤の髪《かみ》が頭頂部から毛先に向け、薄緑《うすみどり》色の柔《やわ》らかな色に変化してくる。けぶるような曖昧《あいまい》な色彩《しきさい》の髪が風にそよぐ。魅惑《みわく》的な、柔らかで艶やかな色彩の妖精がそこに出現する。

「何を知りたいんだ？　可愛《かわい》い銀砂糖師」

いたわるような優《やさ》しい声音《こわね》が、かえって不気味だ。

「あなたは城壁《じょうへき》から落ちて、助かる見こみがなかった。けれど今、生きてる。どうやって命を繋《つな》いだの？　砂糖菓子《がし》でも、とうてい繋ぎとめられないほどの衝撃《しょうげき》をうけたはずなのに」

エリルが目を丸くし、ラファルはくすくすと笑いだした。

「それが知りたかったのか？　でもなんのために？　人間のおまえには、関《かか》わりないことだろう」

「わたしの妖精の友だちに、寿命《じゅみょう》が迫《せま》ってる。彼の命をひきとめたい」

ラファルは、ちらりとエリルをみやった。

「エリル。この取引、悪くない」

難しい問題を突《つ》きつけられたように、エリルは困った顔をする。

「僕にはわからない、この取引の意味が」

「砂糖菓子は必要だ。それを食べれば我々の力は増す。おまえには不要かもしれないが、わたしには必要だ。もしかしたら、……回復の可能性があるかもしれない」

「回復の可能性があるの？」

「あくまで、可能性だが」

「可能性があるなら、いいよ」

あっさりと頷《うなず》いたエリルの肩《かた》を軽く撫《な》でると、ラファルはアンに向き直った。

「では。取引をしようか？　アン。我々には今、目的地がある。その場所に辿《たど》り着くまで、おまえは我々が望むとおりに砂糖菓子を作る。何事にも我々に逆らわず奉仕《ほうし》する。そうすれば目的地に辿り着いたときに、わたしの秘密を教えよう」

「本当に？　約束するの？　じゃあ証拠に、剣を収めて」

相手が相手だけに、言葉を素直《すなお》に受け止められなかった。慎重《しんちょう》に要求する。

「いいだろう。わたしがまず、収めよう」

彼は剣を鞘《さや》に収めると、エリルにも目顔で促《うなが》した。エリルは素直に両 掌《てのひら》を振り、剣を霧散《むさん》させる。

「さあ、シャル。おまえもだよ。休戦だ。その銀砂糖師の提案だ」

どこか楽しげにラファルが促すと、シャルは顔をしかめた。

「お願い、シャル」

「言いなりになるのか？」

「彼らの知っていることを、教えてもらわなくちゃ。わたしたちは、そのために来た」

するとようやくシャルも覚悟《かくご》を決めたらしく、手にある剣を光の粒《つぶ》にして消した。

ゆっくりとラファルが近づいてくると、シャルがアンを庇うように前に立った。手が届く距《きょ》離《り》になると、シャルの目が鋭《するど》くなる。

「そこで止まれ。それ以上近づくな」

「銀砂糖師に手は出さないよ、大切な大切な、砂糖菓子の作り手だ。ただ……おまえは、わたしにとっては残念ながら敵でしかないけれどなシャル。銀砂糖師に手を出さないと約束はできても、おまえに手を出さないとは約束できない」

「駄目！　シャルに手を出したら、わたしは作らない！」

嚙《か》みつくような勢いでアンが怒《ど》鳴《な》ったので、ラファルはおどけたように一歩足を引いてふふっと笑った。

「取引と言ったが、おまえたちが約束を違《たが》えない保証は？」

シャルの問いに、ラファルは薄《うす》く笑う。

「信用してもらうしかない」

「保証がないものに、対価は出せない」

エリルが、ふわりと風に乗るような軽い足取りで近寄ってきた。シャルを見あげ、甘えるように微笑《ほほえ》む。

「僕が約束するよ。必ず教える。教えても、平気だ。そうしなければ砂糖菓子をくれないなら、教えると約束をする。それでは駄目《だめ》なのかな？」

その微笑みに、アンはどきりとした。

——この子の表情。子供みたい。

微笑む口元や長い睫《まつげ》の目元には妖艶《ようえん》な雰囲気《ふんいき》があるのに、銀の瞳《ひとみ》だけは、二つ、三つの子供のように澄《す》んでいる。嘘《うそ》をつくことも知らず、騙《だま》されることも知らず。言葉になったことは、すべてが本当だと信じてしまう幼子のようだ。

エリルはこの世に生まれて、まだ一年と経《た》っていない。いくら妖精王《ようせい》となるべき妖精で、高い戦闘《せんとう》能力があったとしても、彼はまだ情緒《じょうちょ》的には幼子なのかもしれない。

ただ外見があまりにも艶《つや》めいているので、内面の幼さとあいまってか、ひどく色香《いろか》がある。

「僕が約束する。それでいい？」

どのみち、彼らが持っている情報を必死で得ようとしているこちらが不利だ。彼らはやろうと思えば、砂糖菓子を手に入れる算段はいくらでもできる。だがアンたちは、ラファルを頼《たよ》るしか方法がないのだ。

「……いいだろう」

諦《あきら》めたようにシャルは頷く。

ラファルが囁いた。

「目覚めてから、何度もおまえを切り刻みたいと思ったが。手が出せなくなったようだな」

アンは拳《こぶし》を握る。

――ラファルは油断できない。

人になつくことのない毒蛇《どくへび》を懐《ふところ》に入れるようなものだ。だがそれしか方法はない。

エリルは唇《くちびる》を噛むアンを物珍《ものめずら》しそうに見ていたが、目が合うと笑った。とろけるような甘い微笑みに、アンは戸惑《とまど》った。なにも知らずにそんな微笑みを向けられたら、年頃《としごろ》の女の子なら赤面しそうだ。

だが彼は無邪気《むじゃき》そうに見えても、ラファルと同じように、恐《おそ》ろしい本性《ほんしょう》を隠《かく》している可能性があるのだ。

「夜が明けたら城から出る。準備をしておくのだな。明日の朝、再び会おう。行こうエリル」

ラファルが、アンとシャルの横をすり抜《ぬ》け塔《とう》の方へ歩き出す。するとエリルは、ちょっと名《な》残惜《ごりお》しそうな表情で二人を見やってから、ラファルを追った。

彼らの姿が塔の中へ消え、靴音《くつおと》も遠のき、聞こえなくなった。

その途端《とたん》、へなへなと膝の力が抜け石の歩廊《ほろう》に座りこんだ。膝を抱《かか》え、深い息をついて膝頭《ひざがしら》に額をつける。恐怖と緊張《きんちょう》から解放され、軽く腰《こし》が抜けていた。

シャルは呆《あき》れたように、アンの前にかがみこむ。

「明日からは奴《やつ》らとともに行動する。大丈夫《だいじょうぶ》なのか？　焚《た》き火のところまで戻《もど》れるか？」

「努力する。明日からは、慣れる。でも今は、ちょっと……休んで……」

突然《とつぜん》シャルの腕《うで》が、アンの背と膝の裏に伸《の》びてきた。びっくりする間もなく、体を抱え上げられていた。

「ちょっと、シャル……！　い、いいからっ！　歩ける！」

「腰が抜けているように見えたのは、気のせいか？」

すっかり見透《みす》かされているのがばつが悪くて、アンは反論できなくなった。

シャルはアンを抱えたまま、ゆっくりと歩き出した。シャルに負担をかけるのが申し訳なくて、すこしでも運びやすいかと、彼の両肩《りょうかた》にしがみつく。

シャルは難なく階段を下り、焚き火をしている一階まで帰った。

ミスリルは、アンの毛布の中でぐうぐう眠《ねむ》っていた。シャルはそれを見ると、床《ゆか》に広げられていた自分の毛布の上にアンをおろしてくれた。

「ここで寝《ね》ろ。下手《へた》にミスリル・リッド・ポッドの寝ている毛布に潜《もぐ》りこんで奴が目を覚ましたら、これから誰《だれ》も眠れないほど大騒《おおさわ》ぎをするはずだからな」

「うん。でも、シャルは」

「俺は適当に寝る」

「そんな。それならわたしが」

「なら一つの毛布で眠るか？」

「えっ⁉」

それこそ眠れないだろう。体が強《こわ》ばると、それを感じたのかシャルはふと笑った。

「冗談《じょうだん》だ。寝ろ。とりあえずは、奴らを俺たちの近くにひきとめられた。よくやった。奴らも俺たちを警戒《けいかい》しているはずだ。今夜ここにやってくることはないはずだから、安心して眠れ」

シャルはアンの前髪《まえがみ》をかきあげると、額に口づけしてくれた。そして促すように肩を押して、アンを毛布の上に横たわらせた。

アンの体を毛布で包み込むと、シャルは焚き火の傍《かたわ》らに行って腰を下ろした。

毛布にくるまれると、やっと恐怖《きょうふ》がうすらいでくる。アンは目を閉じた。

これから眠るというのに、まるで悪夢を見たあとのようだ。恐怖だけは体の芯《しん》にこびりついている。

――でも、これで。ラファルの秘密を知ることができる。

彼らの目的地まで同行しアンが協力をすれば、秘密を教えるとラファルは言った。彼の言葉は信じられないが、行くしかないのだ。彼らと同行する間に、秘密を探《さぐ》る機会もあるかもしれない。とにかく彼らとともに行動しなければ、はじまらない。

「ねぇ、あなた。起きてくれない？」

朝だと分かった。

遠慮《えんりょ》のない声で呼ばれ、肩を揺《ゆ》すられる。閉じた瞼《まぶた》の向こうがうっすら明るく感じるので、

「起きて欲しいんだ」

馴染《なじ》みのない声にぎょっとして、アンは跳《は》ね起きた。

目の前で微笑んでいるのは、銀の瞳と銀の髪《かみ》の少年妖精。エリル・フェン・エリルだ。昨夜と同様、見つめているとどきどきするほどに妖艶な雰囲気があるのに、涼《すず》やかな野の花のように穢《けが》れのない笑顔《えがお》をしている。

「どうしたの……」

警戒するべき相手のはずなのに、邪気《じゃき》のない雰囲気に思わず普通《ふつう》に質問していた。

「朝になったら、再び会おうってラファルが約束したでしょう？　目が覚めたから、来た」

「あなただけ？」

「そうだよ。ラファルは、まだ。あとから来るよ」

いきなりエリルは両手でアンの両頬《りょうほほ》を包み込んだ。びっくりしてアンは硬直《こうちょく》したが、彼はかまわず、アンの鼻先や首筋にずいと顔を近づける。そして香《かお》りをかぐ仕草をした。

「昨夜も気になったんだ。あなた、とてもいい香りがする」

誘惑《ゆうわく》するような、甘えるような、なんとも言えない声で囁《ささや》かれる。エリルの吐息《とい》と髪に頬や首筋をくすぐられ、さらに体が強ばった。

──これはどうすればいいの!?

内心悲鳴をあげていると、いきなりエリルの襟首《えりくび》がぐいと摑《つか》まれ引っ張られた。シャルが苛《いら》立《だ》ったように、エリルを猫《ねこ》の子よろしくつり上げる。

「離《はな》れろ。エリル・フェン・エリル。不用意にそいつに近づくな」

「どうしてなの？　この人間は、そんなに危険？」

「逆だ。おまえが危険だ」

きょとんとして、エリルは自分を立たせたシャルを見あげた。

「え、どうして？　僕は何もしない。この人間が、僕に危害を加えない限りは」

最後の言葉にわずかに滲《にじ》む冷酷《れいこく》なものに、アンははっとする。いくら無邪気そうに見えても、彼は妖精王で恐ろしいほど高い戦闘能力を持っているのだ。

──まるで獅子《しし》の子。

彼はけして子猫《こねこ》ではない。鋭《するど》い爪《つめ》と牙《きば》を持っている。妖艶でありながら無邪気。そのちぐさが、彼の持っている能力と、内面のアンバランスさを物語っている。

「そそそそそ、そいつは!!」

悲鳴のようなミスリルの声があがった。ミスリルは毛布から顔を出し、両手で両頰を挟《はさ》んで目を見開いていた。

「ラファルと一緒《いっしょ》に逃《に》げた奴じゃないか！　なんでここにいるんだ！」

「ラファルなら、もうすぐ来るよ」

エリルは朗報を伝えるかのように答えたが、ミスリルは蒼白《そうはく》になる。

「なんでそんなおっかない奴が来ることになってる⁉」

エリルを摑んでいた手を放し、シャルは呆れたように言う。

「奴らを探すために、俺たちはここに来たんだぞ」

「それはそうだけど、なんで突然現れるんだ⁉ 怖《こわ》いだろう⁉ 心の準備が！」

「おまえもいたのかい。ミスリル・リッド・ポッド団長」

朝日が射《さ》しこむ天守出入り口に、ふらりとラファルが姿を現した。光の中で曖昧《あいまい》に輝《かがや》く髪は美しく魅惑《みわく》的だったが、彼本来の冷酷な表情を隠さず薄《うす》く笑っている。

「出た――‼」

毛布の中に潜りこんだミスリルを見て、ラファルが笑いながらゆっくりと中へ入ってくる。

「おやおや。幽霊《ゆうれい》退治を買って出た、勇ましいおまえはどこへ行った？」

毛布が小刻みに震《ふる》えるのを見て、エリルが目を輝かせる。

「見て、ラファル。彼、面白《おもしろ》いね」

震える毛布へ近づくと、エリルは遠慮なく毛布を撫《な》で回す。

「顔を見せてくれない？ ねぇ」

「なんでこんなことになってんだ⁉ アン、シャル・フェン・シャル！ た、たた、助けて。

食われる！」

悲鳴のような声でミスリルが叫《さけ》ぶので、アンは慌《あわ》てて立ち上がり、エリルの側《そば》に駆《か》けよって彼の手を押さえた。

「待って。ミスリル・リッド・ポッドは怖がってるから……」

その次の瞬間《しゅんかん》、シャルが突然表情を変えて叫んだ。

「アン！」

何事だろうかとシャルの方を見ると、彼は一歩踏《ふ》み出しかけた体勢で立ち止まっていた。それを確認《かくにん》するのと同時に、ひやりとしたものが首筋に触《ふ》れた。

「触れるな、人間」

真後ろから、ラファルが囁く声がした。そして右肩《みぎかた》に置かれて首にあたっているのが、彼の剣《けん》の刃《やいば》だと理解し、背筋がぞっとする。

気配もなく、突然《とつぜん》ラファルに背後をとられていた。シャルの警告も間に合わなかった。

シャルが呻《うめ》く。

「なんのつもりだ」

ラファルの髪の色が鮮《あざ》やかな銀赤に一変していた。身をかがめて、アンの耳元に唇《くちびる》を寄せる。

ラファルの行動の理由が分からず、アンは恐怖に身をすくませた。

「人間がエリルに触れることは許さない」

甘く優《やさ》しく脅《おど》しつける声に、アンは彼の怒《いか》りの原因を理解した。エリルの手を押さえていた自分の手を、慌てて離す。

「別に危害を加えるつもりはないわ」

「危害を加えるつもりがあったなら、なぶり殺しにしてやるよ。そうでなくとも、人間がエリルに触れるな。彼は我々三人の中で唯《ゆい》一《いつ》の、完全な形を保つ穢れなき妖精《ようせい》王だ」

エリルの背には、星屑《ほしくず》の光を集めたような、白銀の美しい羽が二枚そろっている。

シャルもラファルも、人の手によって片羽を失っている。エリルだけが、背に二枚の羽を持っている。人間に使役《しえき》されたことがない。

だからこそ、ラファルにとってエリルは穢れていない妖精王なのだろう。

ミスリルが、ぴょこんと毛布から顔を出して目を見開いて呟《つぶや》く。

「今、なんて言った？　妖精王？」

ガラスも鎧戸《よろいど》もない窓に、小鳥が数羽止《わ》まってさえずりはじめる。朝の光と小鳥のさえずりだけが支配する静かな空気の中、エリルがすこし困ったような表情で立ちあがった。

「怒《おこ》らないでほしい、ラファル。あなたが怒っていると、哀《かな》しい」

エリルは剣を握《にぎ》るラファルの手の甲《こう》に触れる。

「僕は大丈夫《だいじょうぶ》。この人間は、何もしてない」

その言葉になだめられたらしく、ラファルは体を起こして剣を腰《こし》の鞘《さや》に収める。それと呼応するように、髪色がもとの曖昧で柔《やわ》らかな色に戻《もど》っていく。

「この辺りにも、時折州兵どもが姿を見せるようになった。日が高くなる前に、ここを出る。準備を整えて外へ出ろ」

ラファルはアンとシャル、ミスリルに命じると、エリルを引き連れて天守の外へ出て行った。

「ずいぶんと過敏《かびん》だ。まるで雛《ひな》を守る親鳥だ。あの戦闘《せんとう》能力のあるエリルを、まるで小娘《こむすめ》のように扱《あつか》ってる」

彼ら二人を見送ると、シャルは眉《まゆ》をひそめた。

「でもわたしは、なんとなくラファルが怒った気持ちはわかる」

「俺にはわからん」

シャルにとっては、そうなのかもしれない。

けれど相手を大切に思う者にとっては、許せないことがある。

シャルとともに妖精市場に行ったとき、妖精商人たちはシャルを嫌《いや》な目で眺《なが》めていた。触れていなくても、シャルに触れられている気がして、アンは腹が立った。ラファルも同じなのだろう。人間という卑《いや》しい生き物が、大切な者に触れることが腹立たしいのだ。

「俺様もわかんないぞ！」

いきなり、ミスリルがばっと毛布を撥ね上げ立ちあがった。

「なんであんなショック死しそうな目覚ましを、俺様が喰《く》らわなきゃならないんだ！　どうして、あの二人がいるんだよ！」

「あ、ごめん。昨夜ミスリル・リッド・ポッドが寝《ね》ている間に、あの二人が現れて取引したの。彼らが目的の場所に到着《とうちゃく》するまで、わたしが砂糖菓子《がし》を作って彼らに提供する。目的の場所に辿《たど》り着いたら、そこでラファルの秘密を教えてくれるって」

「てことはなにか、あのおっかない二人とこれから旅しろってのか!?　無理だ。おっかなすぎて、寿命《じゅみょう》が尽《つ》きる前に俺様は死ぬ……」

　がくっと、ミスリルが毛布の上に四つん這《ば》いになる。

「大丈夫だ。あいつらはおまえなんかに、これっぽっちもまったく興味がない」

「なん、なんだと!?」

「ものの数に入っていないから、安心しろ。ほとんど無視される」

　容赦《ようしゃ》ないシャルの慰《なぐさ》めに、ミスリルは今度は膝《ひざ》を抱《かか》えて丸くなる。

「それって……どうなんだ？　存在的に……俺様……」

「まあ、良かったじゃない！　全く関心もたれなかったら、なにがあっても絶対安心だし」

　アンがよしよしとミスリルの頭を指で撫でると、ミスリルは涙目《なみだめ》で立ちあがった。

「おまえら二人して、俺様を慰めてるのか!?　落ちこませてるのか!?　どっちなんだ！」

「え、一応。慰めて……ごめん」

「それにさっきのラファルの言ったことは、なんなんだ！　エリルが妖精王だって、本当なのか？　しかもあいつ、我々三人って言ったよな。妖精王は一人じゃないって事だな！　で、ラファルが我々と言うからには、奴《やつ》もその一人なんだろう。じゃ残りは誰《だれ》なんだ。知ってるんだろう！　教えろ！　これは大事なことだぞ！」

睨《にら》まれたシャルは、ふっとため息をついた。

「知ってどうする」

「それなりの覚悟《かくご》ってものがあるだろう。……俺様には、わかってる」

ミスリルはうつむき、拳《こぶし》を固めた。

「ラファルはあの場で我々三人って言った。てことは、三人目もこの場にいるってことだよな」

「……そうだ。三人目は、ここにいる」

シャルが静かに答えた。

「そうか、やっぱり。……俺様は妖精王なのか」

ミスリルが震える声で、感動を抑《おさ》えたように呟いた。

途端《とたん》、その場を静寂《せいじゃく》の天使が横切った。

「……………………は？」

しばらくして、ようやくシャルが声をもらした。珍《めずら》しく、唖然《あぜん》としている。

「俺様は、自分はどこか違《ちが》うと思ってたんだ。そうか、だから俺様はアンやシャル・フェン・シャルから大切にされ、こうやって命を繋《つな》ぐために力を貸してもらえるのか！」

「え、ええ。え、ミスリル・リッド・ポッド。あの、ね。その」

慌てたアンがどう説明しようかと口ごもっていると、シャルがそれを制するように、すっとアンの前に手を出した。

「そうだ、よく分かったな」

「えっ！　シャル!?」

なんのつもりかと仰天《ぎょうてん》するが、シャルはちらりと意味深な目配せをする。

「俺様って、そんな大切な存在なのか！　わかったぞ。俺様がラファルたちから無視されるのは、妖精王くくりの仲間だからだな！　奴らは安心しきっているんだな」

ミスリルにとって妖精王というのは、趣味《しゅみ》の仲間かなにかと同じなのか。妖精王くくりとは、なんだろうか。そもそも妖精王が三人いるという事に、疑問はないらしい。

——なんてお手軽な王様観……。

そこへシャルが、さらに調子づかせるようにたたみかける。

「妖精王は、奴らなど恐《おそ》れる必要はない。大切な体だ。奴らとともに行動して、ラファルの秘密を聞き出して、必ず命を繋げ。それが使命だ」

「俺様はやるぞ！　そうとなれば出発だ。アン、シャル・フェン・シャル、出発準備だ！」

俄然《がぜん》やる気を起こしたミスリルは、てきぱきと毛布をたたみ始めた。

それを横目に見ながら、シャルが言う。

「マメな妖精王で助かる」

「任せろ！　そっちの毛布も、たたんでやるぞ。なにしろ俺様は人のために尽くす運命を背負った、妖精王だからな。じゃんじゃん、毛布をたたんでやる」

「じゃ、よろしくね……」

毛布をミスリルに任せると、アンは鍋《なべ》や食器を手早く片付ける。とりあえずミスリルのやる気に火がついたのは、いいことなのかもしれない。

シャルとミスリルと一緒《いっしょ》に出発の準備をしながら、アンはふと思った。

――ミスリル・リッド・ポッドみたいな妖精王で、いいじゃない。

ホリーリーフ城にいる妖精たちには、絶対的な王など必要ない。そうであるなら妖精王の運命を背負った三人の妖精たちも、運命など軽《かろ》やかに振《ふ》り捨て、幸福に生きる道だけを探すことができるのだろう。もし仮に絶対に王様が必要だというならば、ミスリルのような王様がいい。

――妖精王ミスリル・リッド・ポッドって、いいな。

せっせと毛布を運ぶ小さな妖精を見て、ちょっと笑った。

ラファルとエリルは、逃亡《とうぼう》の道中に手に入れたらしい馬を連れていた。ラファルの馬は栗毛《くりげ》で、エリルの馬は葦毛《あしげ》だ。どちらも筋肉のついたすらりとした体格の馬で、軍用馬であっただろう事は推測できた。

それをどうやって手に入れたのか。シャルは、訊く気にもなれなかった。

街道《かいどう》のどこかで、見回りをしていた州兵が襲《おそ》われて馬がいなくなったとしても、よくある盗《とう》賊被害《ぞくひがい》として、たいしたニュースにはなっていないだろう。

箱形馬車の手綱《たづな》はシャルが握《にぎ》り、となりにアンが座る。ミスリルは二人の間にふんぞり返って座り、胸を張っている。少し離《はな》れた先を馬で行くラファルとエリルに対して、怯《おび》えもしない。

シャルの予想どおり、妖精《ようせい》王効果はてきめんだ。

セントハイド城の城門をくぐり、ゆるい坂を下りながら、シャルは背後に遠ざかる城を振り返った。

ラファルもエリルも、セントハイド城に格別な思い入れはないらしく、一度も振り返らない。

――あの城をずっと避《さ》けてきたが、来てみればなんということはない。

セントハイド城に百年前に住んでいた少女の痕跡《こんせき》は、何一つ残っていない。崩《くず》れかけた城壁《じょうへき》や、歩廊《ほろう》。天守。どこにも、幸福のかけらも不幸のかけらもない。

あるのは時が過ぎたという、白々した現実だけだ。

リズが鮮明《せんめい》に残っているのは、シャルの記憶《きおく》の中だけだ。

――俺の中にあるリズの記憶は変わらない。百年経《た》っても、俺が存在する限り。

再び視線を前に戻《もど》すと、

「どうしたの？」

気遣《きづか》わしげなアンの表情に気がついて、苦笑《くしょう》した。それほど自分は情けない顔をしていただろうか。

「なんでもない」

目の前の少女を見つめられることに、喜びを感じた。今この瞬間《しゅんかん》目の前にアンがいる。

たとえ百年経ってアンが消えても、シャルが生きる限り彼女の姿は変わらず、自分の中に存在し続ける。思い出のよすがなど必要ないほど、自分の中に鮮明にアンが残るように、様々な記憶を彼女と重ねたい。

――限られている中でも、できるだけたくさんの幸福な時間が欲しい。

ラファルに告げられた不幸な未来など、百も承知だ。前を行く彼の曖昧《あいまい》な髪《かみ》色に、心の中で毒づく。それを覚悟でともに生きるべきなのだ。そのことをシャルは、無力で、特別な運命など持ち合わせていない妖精たちから教えられた。

ラファルには理解できない未来が、妖精たちにも、人間たちにもある。

だが気になるのはエリルだ。

昨夜と今朝。エリルの様子をつぶさに観察して理解したことは、彼がまだ未完成だということだ。なんの思いにも捕《と》らわれていない。どの道へも歩める。

ねだるような言葉に、ラファルは嫌《いや》そうにしながらも地図を受け取った。

地図を渡《わた》し終えると、エリルはアンに振り返って小首を傾《かし》げる。銀の髪がさらりと揺《ゆ》れる。

「あなた砂糖菓子を作れるって言ったね。砂糖菓子は、銀砂糖っていう砂糖から作られるお菓《か》子《し》で、食べれば僕たちの力になるんだよね。ラファルが地図を見ている間に、僕にその砂糖菓子を見せて。見てみたい。見たことがないから」

「エリル！」

思わずのようにラファルが馬上から身を乗り出し、エリルの肩《かた》を摑む。しかしエリルは、その手をやんわりと押さえた。

「平気だ。この人間は武器も使えない。危険だと思ったら、すぐにあなたの側《そば》へ行く」

反応をうかがうように、アンはラファルを見やった。表情は無いに等しいが、アンを見つめるラファルの目には憎悪《ぞうお》がある。それに気がついているのかいないのか、エリルはかまわず、アンのとなりに立つ。

「見せてよ。あの馬車の中にある？」

そして、迷いなくまっすぐ歩き出す。

「あ、待って！」

慌《あわ》ててアンが彼を追うと、エリルは振り向いてアンを待つ。彼女が追いつくとまたすたすたと歩き箱形馬車に近寄って行く。ミスリルが御者台の上から、陽気に手をあげた。

「よう、エリル・フェン・エリル！　調子はどうだ！」

勘違《かんちが》い妖精王のミスリルは、その勘違いのためにエリルに対する恐怖《きょうふ》も吹《ふ》っ切れたらしい。仲間扱《あつか》いの砕《くだ》けた挨拶《あいさつ》に、

「いいよ。とっても」

エリルはなんのこだわりもなく返事する。

エリルを伴《ともな》って箱形馬車の荷台後方へ向かったアンを見送って、シャルはラファルに視線を戻した。

「あの戦闘《せんとう》能力を持つエリルが、人間の小娘《こむすめ》一人相手にできないとでも思っているのか」

あざけると、ラファルはアンに向けていたのと同様の目をシャルに向けた。

「あれは我々三人の運命を狂《くる》わせる魔女《まじょ》だ」

「ただの人間の娘だ。それよりも、王国の中心を再確認《さいかくにん》する必要があるだろう」

シャルはラファルの手にある地図を顎《あご》で示す。ラファルが、さらに険のある目をする。

「我々の目指す場所をなぜ知っている」

「王城でおまえたちが出くわしたルル・リーフ・リーンから聞いた。その場所へ行かなければおまえの秘密を明かす気がないなら、さっさと確認して場所を確定しろ」

「忌々《いまいま》しい物言いだ。おまえが兄弟石だと思えば、なおさら忌々しい。なぜ我々とともにあるべきおまえが、そんなふうになっているのか。リゼルバ・シリル・サッシュに選ばれた一人が。

そう思うと、おまえを殺したいよ。今すぐにでも。……切り刻みたい」

淡々《たんたん》とした殺意をにじませるラファルに、シャルもまた冷ややかな視線を返した。

「兄弟石だから、ともにあるべきだと？　それは誰《だれ》が決めたことでもない。おまえが勝手に思い込んで執着《しゅうちゃく》しているだけだ。おまえのその執着は、エリルの生きる道を狂わせる。おまえがどうするつもりか知ったことではないが、彼を巻きこむな」

「巻きこむのではない。彼はわたしとともにあるべき者だ。当然のこととして、ともに生きる」

「またその理屈《りくつ》か？　なら俺もエリルと同じ兄弟石だ。彼がともにあるべき者として、ともに生きると言ってもかまわないわけか。彼が人と交わり、人の中で生きる道を見つけるようにしてみせると」

「それは許さない。シャル・フェン・シャル。絶対に」

ラファルは低く脅《おど》しつける。シャルはその視線を受け止め、吐《は》き捨てるように答えた。

「おまえの思いなど知ったことか」

そしてラファルに背を向け、箱形馬車に戻った。

「シャル・フェン・シャル」

ミスリルが心配顔で見あげてくる。

「目的地までは、どのくらいなんだ？」

アンの前では絶対に見せない、不安げな表情だった。羽も弱々しくしおれているのを見ると、焦《あせ》りが募《つの》る。それを押し隠し、シャルはいつもの通り答えた。

「目的の場所は、近くのはずだ。位置さえ摑めればすぐに到着《とうちゃく》できる」

しかし目的地に到着したとしても、あのラファルの態度では素直《すなお》に秘密を明かすとは思えない。御者台に手をかけ、ちらりと荷台の方を見やる。

中からアンとエリルの、穏《おだ》やかな話し声がする。

――秘密を明かす可能性があるとすれば……エリル。彼から聞き出すしかない。


エリルとアンは、箱形馬車の荷台の背面へまわった。アンは荷台の扉《とびら》に手をかける。

「エリル。ここは作業場なんだけど、とっても狭《せま》いから気をつけてね」

「うん。気をつける。約束する。だから、見せてほしい」

こくんと頷《うなず》くので、アンはなんとなく苦笑《くしょう》してしまう。

――この子、ほんとうに子供みたい。女のわたしよりもずっと色っぽくて、綺麗《きれい》なのに。

扉を開けると、甘い銀砂糖の香《かお》りを含《ふく》んだ空気が、ふわっと漂《ただよ》い出る。

荷台の壁《かべ》の一方には色粉の瓶《びん》を並べる棚《たな》と、作業台が据《す》え付けられている。作業台の上には木べらやめん棒、切り出しのナイフなどが整然と置かれている。もう一方の壁際《かべぎわ》には、三樽《たる》の銀砂糖が置かれている。

荷台の左右の側面には、天井《てんじょう》近くに横長の窓がある。窓からは秋の青空が見える。

「入っていい？」

銀の髪《かみ》を揺らして、エリルはすこし緊張《きんちょう》したように問う。

「いいよ、入って」

荷台のステップを軽《かろ》やかに踏《ふ》んで中に入ると、エリルはうっとりするように目を細めた。

「いい香り。これはなに？　あなたと同じ香り」

「銀砂糖の香りよ」

言いながら、アンも荷台の中に入った。

「砂糖菓子ってどれ？」

きょろきょろと見回すエリルの前を横切って、アンは銀砂糖の樽に手をかけた。

「今はまだ作ってないけど、材料はあるのよ。これ。この銀砂糖を使って、素敵《すてき》な形の砂糖菓子を作るの」

樽の蓋《ふた》を開くと、エリルは感嘆《かんたん》の声をもらした。

「とても素敵な香りだ、銀砂糖」

切なげにため息をつき樽を覗《のぞ》きこむ。その横顔の表情は幼く穢れないのに、艶《つや》めいている。

銀の睫《まつげ》が、興味深そうに瞬《まばた》いて銀砂糖を見つめている。

手近にあった石の器《うつわ》を手に取ると、アンはそれに銀砂糖を少しくみあげた。

「食べたことないなら、少し食べてみる？　両掌《てのひら》を揃《そろ》えて出してくれる？」

言われるままに差し出されたエリルの掌の上で石の器を傾《かたむ》け、さらさらと銀砂糖を落とす。

掌に降り積もる、青みをおびた純白の銀砂糖が、掌に触《ふ》れる場所から金の光に包まれ、消えていく。

「あ……。これ、甘い……」

掌に降り積もった銀砂糖すべてが消えるとエリルは深くため息をつき、顎をあげてぼんやりしている。横顔がほんのりと光をまとうように美しい。

「美味《おい》しい？」

訊《き》くと、エリルはゆっくりとアンを見やる。

「美味しい。甘い。体の全部が溶《と》けるみたい……」

「これを形に作ると、もっともっと甘くて美味しくなるってシャルは言ってたわ」

「作って！」

「わっ！」

突然《とつぜん》エリルがアンに抱《だ》きついた。仰天《ぎょうてん》したアンにかまわず、エリルははしゃぐように続ける。

「ねぇ、僕は欲しい。砂糖菓子《がし》が欲しい」

「ちょっと、離《はな》れて。ラファルが見たら」

「作ってよ」

抱きついたまま、ねだるようにアンの顔を見つめる。彼の身長はアンとほぼ同じなので、真っ正面に顔がある。銀の瞳《ひとみ》が、あからさまにアンに甘えていた。

「いいよ。もともとそのために同行するんだし。あなたが欲しい形を作る。あなたが大切なものとか大好きなものを教えてもらえれば、それを形にする」

「欲しい形？」

エリルはきょとんとする。

「欲しいものは……わからない」

「お花とか蝶《ちょう》とか。何か好きなものはある？」

「好きなのはラファル」

迷いなく答えるのでアンは苦笑する。エリルにとってラファルは、どんな存在なのか。保護者のようなものだろうか。あの恐《おそ》ろしい妖精《ようせい》を、こうやって無条件に慕《した》っているのが不思議だ。

「ラファルね。うん、ま、いいけど。彼は綺麗だものね。作るわ。ラファルのこと好きなのね」

「ラファルは僕にいろいろなことを教えてくれる。でも、あなたも好きだ。あなたの名前はなに？」

興奮がおさまったのか、エリルは抱きついていた腕《うで》をほどく。そして微笑《ほほえ》んだ。

「名乗ってなかったね。アンよ。アン・ハルフォード」

つい握手《あくしゅ》を求めて手を差し出したが、慌《あわ》てて引っ込める。

「握手は駄目《だめ》ね、ラファルが怒《おこ》っちゃうから」

「握手って？」

「手を握《にぎ》り合うの。お友達になりましょうって、証《しるし》に」

「なら、証。触れるのなんてかまわない。それより砂糖菓子を作って、アン」

アンの右手を、エリルは無理矢理《むりやり》摑《つか》んで握手した。ひんやりした妖精の手は、優雅《ゆうが》だ。

――エリルはラファルと違《ちが》う。全然違う。

彼の屈託《くったく》のなさが愛らしくなる。艶めく銀色の、無邪気《むじゃき》な獅子《しし》の子だ。

「あなた、ラファルとは違うのね」

「僕はラファルじゃない」

「作るわ。あなたたちが目的地に到着するまでの間は、いくらでも砂糖菓子を作る」

銀砂糖の樽に蓋をすると、アンはふと不安になる。樽の縁《へり》に手をかけて動きを止めた。

――彼らの目的地は、最初の砂糖林檎《りんご》の木がある場所。それを探すのは『砂糖菓子に関《かか》わるすべての人間とすべての妖精にとって、重要だ』ってルルは言った。

そこにはいったい何があるのか。

「エリル。どうしてラファルとあなたは、最初の砂糖林檎の木がある場所を目指してるの？」

訊くと、エリルは不思議そうな顔をした。

「目的地の話、した？」

「ううん。あなたたちがそこを目的地にしたようだって、ルルから聞いたの。王城で会わなかった？　金の髪をした綺麗な妖精」

「ああ、あの人だね。どうしてって、あの人が教えてくれたから。教えてもらったから、その場所に行こうと思ってるだけ。人間の手が届かない場所なら、安心して過ごせるから。ただ、それだけ。逃《に》げるのは嫌《いや》。でも追われるのも嫌。だからラファルと一緒《いっしょ》に、安心して過ごせる場所に行きたい。それだけ」

わずかだが、エリルは寂《さみ》しげな目をした。

「静かに、過ごしたいだけ」

生まれてまだ一年足らずのエリルですら、人間が妖精たちを追い回し、安心して過ごせる場所がないことは身に染《し》みているのだろう。

追われることのない場所へ行きたいと願うのは、妖精として当然だ。

しかしラファルがエリルと同じように、安息だけを求めているとはとうてい思えなかった。

そもそも目的の場所に到着して、ラファルは本当に彼の秘密を教えてくれるのだろうか。彼の言葉だけを信用して、砂糖菓子を作り、彼の目的地まで同行することになっている。

しかしそれだけでは、確実に秘密を聞き出せるとは限らない。

——彼の秘密と交換《こうかん》できる、決定的ななにか。切り札が必要になる。

だがそれは、今のところアンの手元にはない。その場所に到着《とうちゃく》する前に、アンは切り札を見つけなくてはならない。

「エリル！　出発する。来るんだ！」

ラファルの声がした。

「もう行くの……」

残念そうにエリルが銀砂糖の樽《たる》を見やったので、アンは彼の背を押して陽気な声で約束した。

「砂糖菓子を作るのは時間がかかるから、すぐには完成しないけど。大丈夫《だいじょうぶ》。できるだけ急いで作り始めるから」

それを聞くとエリルは微笑んだ。そして、

「ありがとう。優《やさ》しいね、あなた」

と言うと、体をよじってアンの頰《ほお》に軽く口づけた。

「えっ⁉」

驚《おどろ》いて飛び退《の》くが、エリルは相手が驚いたことに関心はなさそうで、さっと荷台から出て行った。唇《くちびる》の触れた頰に掌をあて、呆然《ぼうぜん》と呟《つぶや》く。

「さすが兄弟……？　シャルと一緒で、たちが悪い……」

弾《はず》むように、エリルは馬に飛び乗った。体が軽い気がする。ラファルと並んで馬を歩かせはじめても、馬の振動《しんどう》に合わせて、体の芯《しん》がふわふわとして心地《ここち》よい。

――銀砂糖って、素敵《すてき》だ。あんな感覚がこの世にあるなんて。

甘い、というのはラファルの口から聞いたことがあった。だが実際感じてみると、体がとろけるような不思議な感覚だった。

「どうした。エリル」

エリルの笑《え》みに気がついたのか、ラファルが平淡《へいたん》な声で訊く。

「銀砂糖をすこし食べた。甘いっていうのが、わかった。素敵だ。アンは僕にも砂糖菓子を作ってくれると約束した。嬉《うれ》しいよ」

「あれは……砂糖菓子を餌《えさ》にして妖精を惑《まど》わす魔女《まじょ》だ」

低い声に、エリルは少し笑った。

「それほど恐ろしい生き物には見えない」

「現実におまえは、惑わされている。あの銀砂糖師の名を口にしている」

「名前が分からないと呼ぶとき不便だから、訊いただけだけれど」

しかしエリルの答えも耳に入っていないかのように、ラファルはじっと前方の一点を見つめている。曖昧《あいまい》な髪《かみ》色が太陽の光に揺《ゆ》らめき、水面《みなも》に流れる香油《こうゆ》のようにてらてらと色を変える。

「おまえも、あれの名を呼ぶのか……」

ラファルが、ひどくアンにこだわっているのは分かる。ラファルは力を取り戻《もど》したくて、砂糖菓子《がし》を必要としているのだ。だから必然的に、アンに強くこだわるのかもしれない。

――でも、あの時に奪《うば》われた力は砂糖菓子で回復するものなの？

それは分からなかった。ただラファルは奪われた力を取り戻したくて、砂糖菓子を欲しがっている。そう感じた。

――そうか。僕よりも、ラファルに砂糖菓子を渡《わた》してあげなければいけない。

はしゃいだぶん残念で、すこし気持ちが沈《しず》む。砂糖菓子を食べられるのはまだ先だ。ラファルにこそ、砂糖菓子が必要なのだ。なぜなら。

「僕のやったことだから……」

小さく、エリルは呟いた。

五章　戴冠式

ラファルは、アンが渡した地図を基《もと》に正確な王国の中心部を割り出したようだった。当初セントハイド城からまっすぐ北上していたが、ラファルは進路を変更《へんこう》した。街道《かいどう》を外れ、わずかに西寄りの荒《あ》れ地を進み始める。

ビルセス山脈の懐《ふところ》は、岩の小山を連ねたような場所だ。それらを縫《ぬ》うように進むと、徐々《じょじょ》に標高が高くなる。

ざらざらして乾《かわ》いた土の上を風が吹《ふ》くと、初秋の日射《ひざ》しを遮《さえぎ》るように砂埃《すなぼこり》が舞《ま》いあがる。所々に雑木の林が現れるが、森と言えるほどに生長はしていない。荒涼《こうりょう》とした景色はブラディ街道を思わせた。ただしあちらは道が平坦だが、こちらは常にゆるい登りだ。

日が傾《かたむ》くと、正面からまっすぐ朱色《しゅいろ》の光が目を射る。先を行くラファルとエリルの影《かげ》が、背後に長く伸《の》びていた。

彼らはしばらくすると、まばらな林を見つけ馬を乗り入れた。そこで今晩夜を明かすらしい。シャルが箱形馬車を器用に操《あやつ》り、林の中に入れる。

林の中は少しだけひんやりとして、下生えもあって緑の香《かお》りがする。

いつものように焚《た》き火をおこし夕食の準備を始めようと、アンは御者台《ぎょしゃだい》の下から鍋《なべ》や食器をおろしていた。シャルとミスリルは、薪《たきぎ》を集めるために林の中を歩き回っている。

ラファルとエリルは、アンたちと距離《きょり》をおいて馬を下りた。エリルは疲《つか》れたように、一本の大樹に寄り添《そ》って座ると、軽く目を閉じていた。

太陽はビルセス山脈の岩肌《いわはだ》の向こうに沈み、周囲は薄墨《うすずみ》を流したようなぼんやりとした景色になっていく。空にはまだ朱色の雲が残っているが、東の空は藍《あい》に染まってくる。

ラファルは自分とエリルの馬を、木に繋《つな》いでいた。そして馬を繋ぎ終えると、ゆっくりとアンに近づいてきた。

「何をしているのかな、銀砂糖師」

彼は微笑《ほほえ》んでいる。曖昧な髪色と、柔《やわ》らかな人を誘《さそ》うような雰囲気《ふんいき》のある彼が微笑むと、見とれるほどに優雅《ゆうが》だ。だが彼の本性《ほんしょう》が身に染みているアンには、その笑顔に忌《い》まわしいものを感じる。

「何って、夕食の準備を」

「おまえは今夜中に一つ砂糖菓子を作れ。わたしが満足する、美しいものを」

「わかったわ。作る。エリルにも作るって約束したもの。でも、とりあえず夕食を……」

答えようとすると、いきなり腕《うで》を摑《つか》まれて強く引っ張られた。痛みにアンは小さく悲鳴をあげ、抱《かか》えていた食器が地面に散らばった。

「おまえは奴隷《どれい》だ。わかっているのか？　食事は許さない。砂糖菓子を完成させるまでは」

鼻先に顔を近づけ、ラファルはまるで睦言《むつごと》のように囁《ささや》く。

「周りを見ろ。ここではおまえだけが人間だ。小なりとはいえ、ここは妖精《ようせい》の世界だぞ。我々のために奉仕《ほうし》しろ。人間」

「横暴よ……」

握《にぎ》られた腕が痛くて顔をしかめながらも、アンは答えた。しかしラファルは不敵に笑う。

「おまえはわたしの秘密を知りたいのだろう？　わたしの意に沿わなければ、教えない」

はっとして、すぐに肩《かた》の力が抜《ぬ》けた。項垂《うなだ》れると、頷《うなず》いた。ラファルの秘密を知るためには、彼の意のままに振《ふ》る舞うしかないのだ。

悔《くや》しくて唇を噛《か》むが、どうすることもできない。

「我々を使役《しえき》する人間の所行がどんなものか、すこし理解できたか？」

言われて、アンは俯《うつむ》いたまま目を見開く。

──そうか。これが妖精の立場。そして人間が続けていること。

あまりにも理不尽《りふじん》で、悔しい。だが逆《さか》らえない。これが人間たちが続けている事の現実なのだ。ラファルが抱え続ける憎悪《ぞうお》と怒りの原因は、今この瞬間《しゅんかん》、痛いほど分かる。

急にアンの反抗《はんこう》的な気配が消えたのを察したのか、ラファルは微笑むと、アンの耳元で言う。

「いい子だ。作れ。可愛《かわい》い銀砂糖師」

そしていきなり顎《あご》に指をかけ、上向かされた。ラファルの唇《くちびる》が頬《ほお》に触《ふ》れた。

「やだっ！」

びっくりして、大声が出た。片腕はがっちりと握られていたので、もう一方の手だけでラファルの胸を押し返そうとしたが、ほとんど抵抗《ていこう》にならない。指が彼の上衣《うわぎ》のビーズを引っ掻《か》くだけだ。頬に触れた唇がすべり首筋に触れる。毒蛇《どくへび》に這《は》われるような恐怖《きょうふ》に、アンは総毛立つ。

「ラファル」

低い、冷たい声がラファルの背後から聞こえた。そして彼の首筋に背後から、白銀の刃《やいば》が突《つ》きつけられる。ラファルの肩越《かたご》しに、シャルの黒い瞳《ひとみ》が怒りに燃えている。

「アンを放せ。貴様の抱える秘密がなんであろうと、これ以上なにかすれば貴様を殺す」

ふっとラファルは笑って、力を緩《ゆる》めた。アンは飛び退《の》いて、近くの木の幹にすがりつくようにして体を支えた。呼吸が震《ふる》えていた。

ミスリルが小枝を抱えて帰って来た。その場の状況《じょうきょう》を目にした彼は、抱えていた小枝を放《ほう》り出してアンに駆《か》け寄った。

「アン！　どうした、大丈夫《だいじょうぶ》か？」

アンの肩に飛び乗ると、なだめるように頬を撫《な》でてくれる。

「何を怒《おこ》っている？　シャル。この銀砂糖師は、わたしたちのために奉仕すると約束した。我々の奴隷だ。なにをしてもかまわないはずだ。人間たちが、我々をそう扱《あつか》ったのと同様にな」

ラファルは両手を軽く上げて、薄笑《うすわら》いを浮《う》かべる。

「この娘《むすめ》は、奴隷だ。わたしの好きに扱う」

「貴様」

シャルの殺気が膨《ふく》れあがる。ラファルは、明らかにシャルを挑発《ちょうはつ》している。

——どうして、そんな挑発。

そこでアンは、ぎょっとした。

黒い影になった木立の間から、銀の髪を揺らし、エリルがゆらりと歩いてくる。その瞳には、混じりけのない怒りが見えた。鋭《するど》い、ためらいのない殺気を感じる。

「なにしてるの。剣《けん》を引いて、シャル。ラファルに剣を向けるのは、許さない」

ガラスをぶつけ合うような澄《す》んだ声なのに、口調は突き刺《さ》さるほどに鋭い。

「こいつは、アンを侮辱《ぶじょく》した」

シャルの冷たい怒りの声に対し、エリルがかんしゃくを爆発《ばくはつ》させたように怒鳴《どな》った。

「そんなの知らない！　剣を引いて！　引かないならあなたを斬《き》る！」

「シャル！」

アンは駆け出し、シャルの肩にしがみついた。

「剣を引いて！　大丈夫！　引いて！」

一瞬《いっしゅん》悔しげに顔を歪《ゆが》めたシャルだったが、ようやく冷静になったのか、ゆっくりと剣を引いた。掌《てのひら》を振り剣を消す。

エリルはじっと警戒《けいかい》する目でシャルを睨《にら》みつけながら、ラファルの側《そば》に近寄った。

「怪我《けが》はない？　ラファル」

「ああ、大丈夫だ。しかし油断したな」

薄《うす》く笑ったその表情が、憎《にく》らしかった。エリルはラファルの袖《そで》を摑むと軽く引いた。

「安心して。僕がラファルを守る」

二人は、最初にエリルが身を寄せていた大樹の辺りへ移動していった。

──すごく、狡猾《こうかつ》。

ラファルの笑《え》みを見て悟《さと》る。彼はシャルとエリルが近づくことを阻止《そし》したのだ。まだ考えの固まりきっていないエリルが、兄弟石のシャルに心を許し、彼の生き方や考えを吸収する前に、彼らを引き離すための手を打ったのだろう。

「ありがとう。ごめんね、シャル」

むすっとしているシャルの顔を見あげると、彼は大樹に寄り添って座ったラファルを睨んだまま答えた。

「礼はいらん。謝罪も不要だ」

「わたしラファルの指示に従って、彼を刺激《しげき》しないようにする。ラファルは夕食を準備するより砂糖菓子《がし》を作れって命令したから、今から作業に入る。夕食は作業を終えてから食べるようにも言われたし。夕食は作れないから、……ごめんね。ミスリル・リッド・ポッド。かわりに作ってくれる？」

「夕食はかまわないけどな。それよりも、なんであいつは、あんなにひどいこと言うんだ⁉ 妖精王のくせに！　王様はみんなのために活躍《かつやく》するもんだろう？　なのにみんなを、特に女の子にひどい真似《まね》してそれでも妖精王かよ。同じ妖精王仲間としては、俺様は許せないな！」

まっとうすぎる素直《すなお》な意見に、アンはほっと気持ちがほぐれる。

「わたしは絶対、ラファルの王国よりも、ミスリル・リッド・ポッドの王国の国民になりたい」

思わず言うと、ミスリルはへへんっと鼻の下をこすって、アンの肩から飛び降りた。そして地面に散らばった食器を手早くまとめると、頭の上に載《の》せて親指を立てる。

「おうっ！　俺様王国の国民一号は、アンにしてやる。と、いうことで、俺様は王様として夕食の仕込みをする」

すたすたと歩き出す。その後ろ姿を見て、アンはぎくりとした。

ミスリルの背にある一枚の羽が、ひどく薄いもののように感じる。普段《ふだん》見ている彼の羽が絹の厚みであるなら、今の彼の羽は蜘蛛《くも》の糸で織りあげたような薄さだ。周囲の薄闇《うすやみ》のせいばかりではない。

——平気な顔してるけど。ミスリル・リッド・ポッドの力は、弱くなってる。

それをまざまざと感じた。

――やっぱり、たったあれだけの砂糖菓子じゃ足りなかったんだ。

アンとキースとキャット。三人の職人が作り上げた砂糖菓子は、美しかった。しかし時間的に大きな作品が作れなかったのだ。ミスリルにはもっとたくさんの砂糖菓子が必要だ。

「シャル」

アンはシャルの上衣をぎゅっと摑んだ。

「わたし、これからすぐに砂糖菓子を作る。まずはじめに、ミスリル・リッド・ポッドに。それから、ラファルに。それから、エリルにも」

「眠《ねむ》らない気か？　夕食はどうする」

砂糖菓子作りの工程を知っているシャルが、アンが口にした作業量に顔をしかめる。しかしそれには答えず、アンは首を振って言い切った。

「わたしが、ここに来た意味だから。できるだけ作る。行くね」

きびすを返そうとした。

――急がないと。ミスリルとともに、彼の運命に勝ちたい。

その手首を、いきなりシャルが握《にぎ》った。握られたと思った瞬間、体がシャルの方に持って行かれ腰《こし》を支点に体を支えられていた。シャルの唇が、アンの頰に触れた。冷たい感触《かんしょく》と温かい吐息《といき》が触れる。なんの前触《まえぶ》れもない行動に、アンは目を丸くした。

唇は頰から首筋に移る。ラファルの唇が這った場所を、シャルの唇が触れてくれる。それによって清められたような気がして、目が潤《うる》む。恥《は》ずかしくはなかった。どこか、ほっとする。

首筋に触れたまま、シャルの吐息が訊《き》く。

「奴《やつ》が触れた場所は、ここだけか？」

「……え。え。……うん……」

答えると、解放された。呆然《ぼうぜん》と立ち尽《つ》くしていると、シャルがそっと背を押してくれた。

「行け。作業をしろ」

すこし足元はおぼつかなかったが、それでもアンは箱形馬車の荷台へ入った。作業台の前に立つと、シャルの吐息が触れていた首筋に手を当てた。ぼんやりしていたが、しばらくするとはっとして、自分の両頰をぱしりと両手ではさみ気合いを入れた。

夜は短い。

明日の朝までにアンは、ミスリルのための砂糖菓子と、ラファルのための砂糖菓子を完成させなくてはならない。そしてできれば、エリルのための砂糖菓子にも着手したい。

「これが、わたしがここに来た意味」

呟《つぶや》くと、銀砂糖の樽《たる》の蓋《ふた》を開けた。

求められ、作る。そして作ることが誰《だれ》かの助けになる。

ヒューが銀砂糖師となった意味は、おそらく、砂糖菓子そのものを愛し守ること。

そしてアンが銀砂糖師になった意味は、これなのだ。砂糖菓子を愛し、作ることによって大切な人の力になること。

それぞれの銀砂糖師に、銀砂糖師になった意味があるはずだ。

持ってきた銀砂糖は、キースとアンの工房《こうぼう》で、碾《ひ》きなおしをしたものだった。今年の大量生産品の銀砂糖でも、そうすることでぐんと質があがる。

石の器《うつわ》にくみあげる、青みをおびた純白の銀砂糖。それを作業台の上に広げ水を加える。

水は、馬車に常備してある水を利用する。本来冷水が理想的なのだが、この環境《かんきょう》では仕方がない。水がぬるい分だけ、練りや成形を手早くする必要がある。

素早《すばや》く手を返し練り上げる。なめらかに、つやつやになるまで練る。

手を頻繁《ひんぱん》に水に入れて冷やし、練り続ける。

──ミスリル・リッド・ポッドには、何がいいかな？　彼が強くなるものがいいな。

練りながらふと、ミスリルが国王陛下のように重厚《じゅうこう》なマントを身につけ、王冠《おうかん》をかぶっている姿を想像した。ミスリルの王国は、きっと愉快《ゆかい》で楽しいはずだ。

そうしていると、銀砂糖を練っていた指が自然と動き出す。

あの小さな王様にふさわしい、豪華《ごうか》で華麗《かれい》な王冠を作りたい。

──絶対に、素敵《すてき》な王様の素敵な王冠になる。

そう思うと、作りたくてたまらない。

ひとかたまりの銀砂糖を取り分けると、黒の色粉瓶《びん》を棚《たな》から手に取った。ほんのわずかを銀砂糖に振《ふ》りかけて練り込むと、ごくうすい灰色になる。はずみ車を取り出して、作業台の上にある砂糖林檎《りんご》の種からとった油瓶の蓋を開く。指を浸《ひた》し、灰色の銀砂糖を細く引き出し、はずみ車に巻きつける。

はずみ車を回す。するすると、アンの思いを紡《つむ》ぐように糸が指先から流れ出る。

そして今度は純白の糸を紡ぐ。

作業の途中《とちゅう》で、荷台の内部は急激に暗くなる。太陽がすっかり沈《しず》んだのだ。

アンは荷台の中にあるランタン二つに火を灯《とも》すと、二方向に置いた。まだ、少し暗い。

そこで急いで荷台を降りた。御者台《ぎょしゃだい》に回り込み、その下に置いてあるランタンを引っ張り出す。

「アン。夕食はどうするんだ？」

ミスリルに声をかけられた。箱形馬車から少し離《はな》れて、シャルとミスリルが焚《た》き火を囲んでこちらの様子を心配そうに見ている。ゆらゆらと、二人の影《かげ》が木々の影と重なって揺《ゆ》れていた。

「作品ができあがったら、食べられるから。先に食べてて」

暗闇《くらやみ》の向こうを気にしながら答えた。ラファルは、作業が終わるまで夕食はとるなと命じた。今、夕食ごときで彼の神経を逆なでする必要もない。

しかも、作業を中断するのはアン自身がいやだ。はやく続きを作りたい。

ミスリルの延命のために作ろうとしているにもかかわらず、作ることも面白《おもしろ》くて楽しくて、しかたない。

アンは再び荷台の中へ戻《もど》ると、もう一つランタンを灯し手元近くを照らした。

水で手を冷やすと、再び作業に戻る。

できあがった糸を適当な大きさに切りわけ、作業台の下に押しこんである織機を取り出した。小型のもので、銀砂糖の糸を一人でも織りあげられるように工夫《くふう》がされている。大きなものは織れない。せいぜい、まな板程度の大きさが織れる程度だ。

──でも充分《じゅうぶん》。

灰色の糸と純白の糸を縦糸横糸に織り交ぜ、小さな平面を作り上げた。その平面は光沢《こうたく》があり、まるでダイヤをちりばめた白銀だ。

それを切り出しナイフで細長く切り出し、王冠の地金にする。くるりと環《わ》にする。環の直径は、カップの底程度の大きさだ。再び何本も細い帯を切り出すと、それを環の上に立体的に組み立てる。環の上に、ドーム状の帯が何本もさし渡《わた》された。

次に、あらゆる色粉の瓶を棚から下ろす。赤、黄。青。緑。それらを少しずつ銀砂糖に混ぜ、執拗《しつよう》に練りを続けて艶《つや》を出す。するとぬめるように光沢のある、鮮《あざ》やかな銀砂糖になる。それをペン先ほどの小ささに丸め、ナイフの刃先《はさき》で多角的にカットしていく。

次々とカットしていく銀砂糖は、麦の粒《つぶ》よりも小さな宝石の粒となる。

──たくさん欲しい。王冠を埋《う》めつくすほどの宝石。

夢中になって、時間を忘れていた。

できあがったとりどりの宝石の粒を、今度は王冠に配置する。

様々な色の寄せ集めながらも、万華鏡《まんげきょう》のように、色のバランスを美しく保つ。華《はな》やかに。ランタンの光をすかす白銀の地金に、宝石が多彩《たさい》な光で華麗さを添《そ》える。小さな王様の、華やかで楽しい王冠だ。

嬉《うれ》しくて、小さな王冠を見おろしていた。おもわず笑《え》みがこぼれる。

こんな幸福な気持ちになるのは、久しぶりだった。

ずっとアンは気を張り続けていた。キャットやキースの足手まといにならないために、ヒューの期待にこたえるために、そして妖精《ようせい》たちの未来を壊《こわ》さないために必死だった。

そして今度はミスリルの命の限界を知り、できる限りのことをしようと決意して旅に出た。

考えてみれば、大好きな誰かのために落ち着いて砂糖菓子《がし》を作るのは久しぶりだ。

ミスリルが倒《たお》れた夜に砂糖菓子を作りはしたが、あの時はぐったりしたミスリルの事が心配でたまらなかった。砂糖菓子ができあがったときにはただ、足の力が抜《ぬ》けるほどにほっとしただけだ。

ミスリルとともに来てよかったと、心底感じる。

あんなに不安いっぱいのアンが作った砂糖菓子では、ミスリルの命を繋《つな》ぎとめるには心許《こころもと》ない。けれど今、この砂糖菓子ならば確実にミスリルの命が少し延びるだろうと確信できる。

ふいに荷台の扉《とびら》が開き、シャルが顔を出した。アンが手を動かしていないのを見て訊いた。

「終わったのか？　なら夕食をとれ。もう、真夜中だ」

もうそんな時間だったのかと驚《おどろ》き、高窓に目をやった。窓の外にある木の枝の向こう側には、細い月が光っている。

「まだわたしは食べられないけれど。シャル。ミスリル・リッド・ポッドは起きてる？」

「俺様は、ここだぞ」

ひょこりと、シャルの懐《ふところ》からミスリルが顔を出す。

「こっちに来て、ミスリル・リッド・ポッド。いいことしようよ」

いたずらっ子のように声を潜《ひそ》めて手招きすると、ミスリルは不審《ふしん》そうにしながらもシャルの懐から這《は》いだして荷台の床《ゆか》を歩いてきた。

「なんだ？　アンのいいことってのは、あんまり良さそうな気がしないな」

「失礼ね。ほんとうに、いいことだから」

作業台の上に置かれていた小さな王冠を掌《てのひら》に載《の》せると、アンはかがみこんだ。

「戴冠式《たいかんしき》よ」

王冠を差し出すと、ミスリルの目が見開かれる。瞳《ひとみ》がきらきらする。

「王冠じゃないか！　俺様のか!?」

「そう。妖精王ミスリル・リッド・ポッド」

ちょっと口調を改めて、アンはわざと厳《おごそ》かな表情を作る。

「あなたを今夜から国王とし、王冠を授《さず》けます」

言いながら王冠をミスリルの頭に載せた。が、アンはその途端《とたん》にがっくりと肩《かた》を落とした。

「……ごめん。大きさ……間違《まちが》えた……」

王冠はミスリルの頭を覆《おお》いつくし、胸の下まで隠《かく》している。

「まるで豪華なキノコだな」

荷台の出入り口から覗《のぞ》いていたシャルが、こらえきれなくなったようにくすくす笑う。

ミスリルはぐらぐらと頭を揺らしながら、へへへへへっと王冠の下で笑う。

「大きいのはいいことだ！」

両手で王冠を持ち上げると、ミスリルはアンを見あげた。

「……本当に、ごめん」

「まあ、相変わらずのかかし頭の証明だけどな」

「気にするなよ。ありがとうなアン。これ食べていいか？　俺様の王冠は頭に載ってなくても、俺様の中に入るんだから大きな方がいいぞ。王様の冠《かんむり》は、偉《えら》ければ偉いほど大きいからな！」

「じゃ、今度はもっともっと大きな王冠を作るね」

「おうっ！」

ミスリルは上目遣《うわめづか》いに王冠を見あげる。すると彼の両掌の触《ふ》れる辺りがほんのりと金に輝《かがや》き、ほろほろと溶《と》けるように消えていく。薄《うす》くなっていたミスリルの羽が、それに呼応して金の光

をわずかにおびて、ぴんと張る。

「うまいなぁ……。すごく、甘いな」

王冠《おうかん》がすっかり消えると、ミスリルはほっと満足したようなため息をついた。

「アンが王冠をくれたから、俺様は立派な王様と認められたってことだな。王冠は俺様の中に入ったから、誰《だれ》も奪《うば》えないしな。俺様は一生王様だ」

その時、シャルがなにかに気づいたように背後に目をやる。そして表情を曇《くも》らせた。

どうしたのかと問う前に、シャルが出入り口を離れ、誰かを迎《むか》えるようにこちらに背を向ける。シャルの背中越《ご》しに、月光を浴びてふわりと歩いてくる銀の髪《かみ》が見えた。エリルだ。

夕暮れ時の彼が激高した様子を思いだし、アンは緊張《きんちょう》した。しかし彼の表情は、いつものようにどこか茫洋《ぼうよう》として素直《すなお》そうだ。

エリルはシャルの数歩手前で立ち止まると、すこし警戒《けいかい》するように訊《き》いた。

「そこ、どいてくれない？　シャル」

「なぜだ？」

「アンに用事がある」

「なんの用だ？」

「あなたには関係ない」

少しずつエリルがぴりぴりしてくるのを感じ、アンは急いで出入り口に駆《か》け寄ると、扉を大きく開く。

「シャル、いいよ。大丈夫《だいじょうぶ》。なに？　エリル。わたしに用事？」

「砂糖菓子を作ってる？　できあがった？」

訊いた声にはすこし焦《じ》れたような感じがある。砂糖菓子ができるのを、今か今かと待ち続けていたのかもしれない。しかし夜中になってもできあがったと知らせに来ない上に、ミスリルとシャルが作業場に入って何事かはじめたので、我慢《がまん》できなくなってきたのだろう。

「作っているけれど、ラファルとあなたの分はまだ」

「ラファルの分を早く作って。彼、口には出さないけれど、すごく砂糖菓子を欲しがってる」

「作るよ。でも、何を作るのがいいのか……」

いい加減なものを作れば、ラファルは満足せず怒《おこ》り出すかもしれない。彼が満足するものが必要なのだ。

「あ、そうだ」

ふと思い立って、アンは訊いた。

「エリル、こっちに来て教えてくれる？　ラファルが大好きなものや、欲しがるものを」

きょとんとするエリルとは反対に、シャルがしかめ面《つら》で振《ふ》り向く。

「こいつを中に入れるのか？」

「大丈夫。平気よ。ね、教えて。そのほうが早く作れる」

戸惑《とまど》うように小首を傾《かし》げていたエリルは、しばらくすると頷《うなず》いた。

下生えを踏《ふ》んで近づいてくるエリルに、シャルは道を空けるように体を避《よ》けた。エリルが荷台のステップに足をかけると、シャルはちらりとアンを見て、

「近くにいる。なにかあれば呼べ」

それだけ言って、すいと出入り口から姿を消した。

エリルはシャルが消えた方向を見つめて、ぶすっとして呟《つぶや》く。

「シャルは、嫌《いや》だ。ラファルにひどいことをする」

アンはエリルの目をしっかり見つめて、諭《さと》すように首を振った。

「わたしは、シャルが好きよ。シャルはひどいことをしたわけじゃない。夕方のことは、わたしがラファルの行動にびっくりして大声を出したの。それでシャルは、わたしがラファルにいじめられてると思って怒ったの。理由もなくシャルは、ひどいことをしたりしないわ」

「なんでそう言えるの?」

「シャルが優《やさ》しいって知ってるから」

「それでも、嫌。僕は、ラファルと彼に仲良くして欲しかったのに。彼はひどいことをした」

ききわけのない子供のように、エリルは言い切った。

「今は嫌《きら》いでいい。そのうち、わかってもらえると思うから」

エリルを招き入れると、作業台の上に移動したミスリルが、明るく手をあげる。

「よっ！　エリル・フェン・エリル」

「あ、面白《おもしろ》い人だ。なにしてるの？」

「面白いってなんだ!?　俺様はミスリル・リッド・ポッド様だ。これからアンが作業をするってんだから、夕飯の支度《したく》も終えた俺様は、手伝う必要があるんだよ。なにしろ国民のために働くのが仕事だからな」

「砂糖菓子《がし》を作るの？」

「おお、作れるけどな。まあ、今日は、アンの手伝いをしてやるだけだ」

ミスリルは胸を張って、むふふと自慢《じまん》する。彼は、わかりやすく元気になってくれるから安心だ。エリルは物珍《ものめずら》しそうにミスリルを覗きこむと、ちょんと羽をつついた。

ミスリルは飛びあがった。

「わきゃひゃっ！　急に触《さわ》るな！　くすぐったいし、おっかないだろう！」

「あなた、少しだけ元気になってる。すごく弱っていたはずだよね」

エリルの指摘《してき》に、ミスリルが目を丸くする。

「気がついてたのか？　わかるのか？」

「わかるよ、僕は。でもあなたまだ弱ってる。体に大きな穴が開いているみたいに、手に入れた力もどんどん外へ出ちゃうんだね。体の中に命を蓄《たくわ》える袋《ふくろ》があって、その袋が破れてるみたい。そんなものに穴が開くのが水の妖精《ようせい》の特徴《とくちょう》？　だから水の妖精は寿命《じゅみょう》が分からない、不安定と言うの？」

ミスリルはふてくされたように視線をそらし、ふんと鼻を鳴らした。

「知るかよ、そんなこと。ただ自分が弱ってるのは知ってるさ。自分の体だからな。だけど俺様は、死なないぞ。絶対におまえたちから、秘密を聞き出すんだ」

「アンが助けたいって言っていたのは、あなたなんだね……あなたを助けるためには、袋に開いた穴を塞《ふさ》げばいいのかな」

何事かを考えるように、エリルは唇《くちびる》に指先を当てていた。

アンは石の器《うつわ》に銀砂糖をくみあげて、作業台に広げる。水を加えて練りながら、エリルを振り返った。

「ねぇ、ラファルの好きなものってなに？」

物思いから覚めたように、エリルは目をしばたたいた。

「好きなもの……」

考えるように呟きながら側《そば》に寄ってくると、アンの手の動きにエリルの視線が吸い寄せられた。まじまじと指の動きを見つめ続ける。

しばらく経《た》つと銀砂糖はまとまり、なめらかになり、艶《つや》が増す。その様を見つめながら、

「綺麗《きれい》。アンは、すごい」

とやっと口を開いた。アンは苦笑《くしょう》する。

「砂糖菓子職人は、みんなできることよ。それに人間よりも、妖精の方がもっともっと、銀砂糖の扱《あつか》いはうまいの。砂糖菓子は、もともと妖精が作り始めたものだから。わたしは妖精たちが羨《うらや》ましい。旅に出る前に一緒《いっしょ》に仕事をしていた妖精の中には、わたしが十年かかって習得した技術を二ヶ月程度で習得しちゃった人もいる」

「アンは奴隷《どれい》だったの？　妖精と一緒に働いているのは、人間に奴隷にされているから？」

「違《ちが》うの。わたしたちは妖精のみんなに羽を返して、同じ職人として対等に仕事をしていた。そういう場所を、一つだけ作ることができたの」

「人間が作ったの？　どうしてそんなことしたの？」

「砂糖菓子のために、妖精と仲良くする方がいいから」

　エリルは難しい顔をした。

「砂糖菓子のためだけじゃなくて、仲良くすることはいいことじゃない？　でも人間はそうしないんでしょう？」

「エリルの言う通りよ。今の王国は、そう。けれどわたしたちはエリルと同じように思ったから、せめて自分たちができる範囲《はんい》で実現させたくて、あの場所を作ったの。あ、そうだ。あなたも銀砂糖を練ってみる？」

　アンの手元を覗《のぞ》きこむ様子があまりにも真剣《しんけん》なので、ついホリーリーフ城でともに過ごした妖精たちの様子を思い出して訊いた。するとエリルは目をぱちくりさせた。

「練る？　今の、あなたがやったみたいに？　アン」

「そう」

作業の手を止めると、アンは石の器に銀砂糖をもう一杯《ぱい》くみあげ、作業台の上に広げた。自分のとなりを目顔で示す。

「そこで、銀砂糖に触っていいよ。水を少しずつ加えて、なめらかにまとまるように練るの」

エリルが戸惑うように目を泳がせていると、ミスリルが作業台に飛び乗って手招きした。

「俺様は銀砂糖に関しては大先輩《だいせんぱい》だ！　俺様が手伝ってやる」

促《うなが》され、エリルは作業台の前に立った。恐《おそ》る恐る銀砂糖に触《ふ》れ、さらさらと撫《な》でる。

「水を加えて」

指示すると、ミスリルが木のカップを取りあげ樽《たる》から水をくみあげ、エリルに手渡《てわた》す。

エリルは銀砂糖に水を加え、まとめるように練りはじめた。最初のうちは妙《みょう》な顔をしていたが、そのうち嬉《うれ》しそうな表情になる。

——この子、可愛《かわい》いな。

見た目や雰囲気《ふんいき》は妖艶《ようえん》な少年なのに、まるで小さな子供のように思えてくる。素直《すなお》な表情の変化が、思わず抱《だ》きしめたくなるほど愛らしい。

「気持ちがいい。なめらかで」

銀の髪《かみ》をさらさら揺《ゆ》らして、何度も何度も手を返して練りを続けている。

「そうやって練っていたら、すごく艶が出て、もっと綺麗になるの。ねぇ、それよりも、ラファルが好きなものを教えてくれない？　わたしこれから作らなくちゃ」

問うと、エリルは手を止めて記憶《きおく》を探《さぐ》るように視線を泳がせる。そしてなにかを思い出したらしく、にこりとしてアンを見た。

「テントウ虫」

「えっ!?」

あまりの意外さに、目を丸くした。

「馬の耳にテントウ虫がとまっていたら、ラファルはそれを、草の葉っぱにおろしてやった。好きかって訊《き》いたら、そうだって言った。罪がない生き物だって」

──ラファルが？

毒蛇《どくへび》のように狡猾《こうかつ》で冷酷《れいこく》な彼が、小さな虫をそっと指にとまらせ放してやったというのだろうか。ラファルにとって小さな赤い虫は、罪のない愛すべきものなのだろう。

「ラファルは……優しい？」

探るように問うと、ミスリルが仰天《ぎょうてん》したような顔をする。しかしエリルは文句なく、笑顔《えがお》で頷《うなず》く。

「優しいよ」

ラファルは人間を憎《にく》み、妖精たちを憎んでいる。だが何者も愛することができない、凶暴《きょうぼう》なだけの妖精ではない。

——人間が、彼を怪物《かいぶつ》にした。

けれどシャルはリズと生きることによって、今のシャルになった。

妖精たちは経験によってまったく別の生き物のように変化し、別の運命を背負ってしまう。

人間と同じだ。そうであるならば、エリルはけして不幸な運命を背負うべきではない。

彼の運命はこれから作られる。

「僕は、ラファルが好き。彼の視線が、僕を生んだ。彼は僕が生まれることを望んで、今も、ずっと僕と一緒にいてくれる」

そう呟《つぶや》いたエリルの横顔は相変わらず、艶《つや》めいているのに幼い。

エリルは親鳥を慕《した》う雛《ひな》のように、親鳥がそこに存在することに安心感を覚えているのだろう。

だからその存在を失うことが怖《こわ》くて、懸命《けんめい》に守ろうとしている。

ただその幼い雛が、とてつもない戦闘《せんとう》能力を持っているからやっかいなのだ。

——おまえの親鳥は悪い親鳥だって言っても、雛はそれで親鳥から離《はな》れようなんて思わないよね。悪い親鳥だなんて信じないし……もし、悪い親鳥だって分かっても、離れるはずない。

もしエマがアンの知らないところで、人を殺し、盗《ぬす》みを続けた大悪党だったとしても、十五歳のアンだったら、エマから離れようとは思わなかっただろう。

エマが大好きで、エマに頼《たよ》りきりで、エマから離れることなど考えられなかった。

けれど生き物はいずれ、親離《おやばな》れして生きる必要がある。自分の頭で考え、自分の足で歩く必要がある。

――でもまだエリルは、生まれて一年も経っていないんだもの。

その彼に一人で歩めというのは、酷《こく》なのかもしれない。

「わかった。ラファルが好きなものを作るね」

作業に集中して、練りを続ける。棚《たな》から、赤、黒、緑の色粉の瓶《びん》を選んで作業台に置く。白い斑《まだら》入りの、四つ葉。そこに一匹《いっぴき》とまる、愛らしいテントウ虫を作りたかった。

色粉を銀砂糖に混ぜ、艶やかに光沢《こうたく》を出すために練る。エリルは銀砂糖を手でもてあそぶように練りながらも時折手を止め、となりのアンの様子をじっと見つめる。

ミスリルは色粉の瓶の位置を、アンが使いたい順に変える。切り出しのナイフや糸車を、作業台の端《はし》から手前へ移動させる。

荷台の中は静まりかえり、外で風が木の葉を揺らす音が聞こえる。車輪の下で鳴く、虫の声も聞こえる。

真剣なエリルの視線とミスリルの的確な動きに助けられるように、アンも集中力が高まる。

練り、色を作る。紡《つむ》ぐ。指が勝手に動き出す。

細い緑の茎《くき》が形になり、斑入りの四つ葉が五つばかり束になってそよぐ風情《ふぜい》が形になる。そこに真っ赤な可愛いテントウ虫をつける。

――形を整えて。

もうすぐ完成する。そう思った時、がつんと箱形馬車の車体が揺れた。

集中していたところにふいをつかれ、踏《ふ》ん張りがきかなかった。アンはよろめいて、エリル

を巻きこむようにして樽の方へ倒《たお》れこんだ。

「なに!?」

顔をあげてぎょっとした。

箱形馬車の壁《かべ》から、拳《こぶし》ほどもありそうな太い鋼《はがね》の鏃《やじり》が突《つ》き出していたのだ。衝撃《しょうげき》は、これが

突き刺《さ》さったためらしい。

「三人とも、出るな！　州兵だ！」

シャルの声が外から叫《さけ》んだ。

エリルの顔色が変わる。ラファルとエリルが逃亡《とうぼう》した直後から、国王の命によって各州の州

公は彼らの行方《ゆくえ》を必死に追っていた。州公の手足である州兵は、エリルたちにとっては最もし

つこくて用心を必要とする追っ手だ。

馬のいななきが聞こえ、車体がぐらぐら揺れる。箱形馬車に急いで馬を繋《つな》いでいるらしいと

わかり、アンは跳《は》ね起きた。作業台の上にある作りかけの砂糖菓子《がし》に飛びついて抱《かか》えると、再

び荷台の隅《すみ》に背をつけて座った。片足を壁、もう片方を床《ゆか》に踏ん張り、自分の体を固定する。

「ミスリル・リッド・ポッド！　エリルも！　座って！」

なにが起こっているかは分からなかったが、砂糖菓子だけは守らなければならない。砂糖菓子を抱える自分の体を、できるだけ固定する必要がある。

エリルとミスリルもアンに倣《なら》って隅に座った。途端《とたん》に、がくんと衝撃が来て荷台が跳ねた。

箱形馬車が走り出したのだ。

エリルが、はっとしたような表情になる。

「ラファルは!?」

立ちあがろうとするエリルのストールに、ミスリルがぶら下がる。

「待て待て待て！　この猛《もう》スピードで走ってる馬車から降りる気か!?」

「行く。またラファルが捕《つか》まるのはいや！」

迷いなく告げると、エリルはぶら下がったミスリルを指で弾《はじ》き、荷台の扉《とびら》を開いた。

上下する車体のために、扉が激しく前後に揺れる。それをこじ開けるようにして、エリルは飛び出した。

——油断した。

夕暮れ時、ラファルがアンを侮辱《ぶじょく》し触れたことが許せず、体の中にずっと怒《いか》りがくすぶっていた。そのためにラファルにばかり気をとられていたのが、いけなかった。

いつの間にか州兵に囲まれていたらしい。

ラファルも気がつかなかったのは意外だが、彼がまだ回復しきっていない証《あかし》だろう。彼は大樹に寄り添《そ》い、眠《ねむ》りこんでいた。しかし飛び込んできた矢で目覚めてからの動きは速かった。馬に乗ると、エリルの所在を確認《かくにん》した。そしてシャルに、そのまま箱形馬車を走らせるように目配せしてきた。

州兵たちはラファルとエリルの捜索《そうさく》を命じられていた連中だろう。彼らは人数と武器を周到《しゅうとう》に揃《そろ》えて襲《おそ》ってきたらしい。最初に打ち込まれた大きな鏃のついた強弓《つよゆみ》は、州兵が普段《ふだん》持ち歩く武器にしては重装備すぎる。

本来なら、シャルもアンも州兵に追われる筋合いはない。けれど今、罪人だと知りながらも、ラファルたちとともに行動しているのだ。同罪だ。

だからといって、シャルは州兵たちに反撃《はんげき》できない。

彼らに反撃すれば、シャルもアンも正真正銘《しょうしんしょうめい》の罪人となる。

シャルは馬車を走らせながら、歯がみする。猛スピードで林を抜《ぬ》け出すと、闇雲《やみくも》に乾《かわ》いた草原を突っ切った。箱形馬車と並んで、ラファルが馬を走らせている。

背後の暗闇《くらやみ》から、州兵たちが馬を駆《か》る蹄《ひづめ》の音が響《ひび》く。このまま逃《に》げ切るには月が明るすぎる。その証拠《しょうこ》に、時折矢が射かけられてくる。州兵にはうっすらとながら、自分たちの姿が見えているのだ。

ラファルも迷うように背後を見やる。シャルが州兵と戦わないことは、承知しているだろう。そしてラファル自身も、まだ積極的に戦うほど力が回復していない。

――どうする。

と、その時。荷台の扉が開く音がした。振《ふ》り返ると、エリルが荷台から飛び降り、ふわりと地面に膝《ひざ》をついたのが月明かりで確認できた。

「エリル！」

焦《あせ》ったように叫んだラファルが手綱《たづな》を引き、馬が嘶《いなな》き竿立《さおだ》ちになる。それを御《ぎょ》して、ラファルは馬首を背後に向けるとエリルの側《そば》へ駆け戻《もど》る。

エリルは立ち上がり左右の手を広げる。掌《てのひら》に光の粒《つぶ》が寄り集まり剣《けん》を形作る。戦うつもりだ。星屑《ほしくず》を集めたような輝《かがや》きの二枚の羽が、さらに輝き白みをおび、刃《やいば》に似た光をまとう。

暗闇に突如襲《とつじょおそ》われ、州兵の数も定《さだ》かではない。それでも真っ向から戦おうとするのは、自信があるからだろう。

しかしそれで州兵が全滅《ぜんめつ》するのを、シャルは黙《だま》って見ているわけにはいかない。舌打ちして手綱を引くと、馬車を急停車させて御者台《ぎょしゃだい》から飛び降りた。

荷台の横を駆け抜けながら、中に向けて言った。

「声を出すな。おとなしくしていろ」

片手に気を集中し、大気から光を集める。自らの手に馴染《なじ》む、白銀の剣を形にして握《にぎ》るとエリルに向かって駆けた。

ラファルも腰《こし》にある剣を抜き、馬を御しつつ構えた。曖昧《あいまい》な髪《かみ》色が銀赤に変化し、艶めく、夜の炎《ほのお》のようになる。

先駆《さきが》けらしい騎馬《きば》の州兵が二人、こちらに突進《とっしん》してくる。

ラファルが剣を構えると、一騎《き》が正面から迫《せま》る。すれ違《ちが》いざま、ラファルと州兵、双方《そうほう》の剣が振り下ろされる。刃同士が打ち合わされ、火花が散った。州兵の馬はたたらを踏んでその場にとどまり、ラファルの剣を力で押し下げようとした。

ラファルと州兵が馬を並べるその間に、シャルは駆け込んだ。拮抗《きっこう》する二本の剣を下から跳ね上げ、手を返して刃のない剣の背を構えた。そして州兵の腹に向けて剣の背を思い切りたたきつけた。剣の背にみぞおちを強打され、州兵は腹を押さえて落馬した。

馬が驚《おどろ》いて駆け去り、肋骨《ろっこつ》でも折れたのか州兵は呻《うめ》いて地面で丸くなった。しかしシャルはそれに目もくれず、別の方向へ走った。走りながら背後に向けて、

「ラファル、州兵を殺すな！」

と、叫んだ。

追っ手を足止めする必要はある。だが、殺せない。殺させてはならない。

——やっかいな！

シャルはエリルに向けて走っていた。

エリルは突進してきた州兵の騎馬に斬《き》りかかり、馬の足を斬った。馬が横倒《よこだお》しになり州兵が地面に投げ出されると、州兵に向かって跳躍《ちょうやく》し、上から二本の剣を突き立てようとした。

その二本の剣を、シャルは横から剣で弾いた。

「殺すな！　エリル！」

命じると、飛び退《すさ》りながらエリルが呻く。

「なぜ？　矢を射かけてきたのは、彼ら。追ってきたのは、彼ら。追われるのは嫌《いや》だ」

「人間を殺せば、殺した分だけ追われる！　殺すな！　おまえは銀砂糖師を守れ！　州兵は俺がなんとかする」

シャルは闇《やみ》に向かって走った。エリルとラファルが動く前に、州兵たちを足止めする必要がある。

身を低くして駆け、迫ってくる人馬の数を確認する。全部で十騎。個別に対応していては、誰《だれ》かがラファルたちのところへ向かう。全員をシャルに引きつける必要がある。

そう判断するや、先頭の馬の足を斬った。脛《すね》を斬られた馬がもんどり打って倒《たお》れ、州兵が落馬する。仰向《あおむ》けで呻く州兵をまたいで立つと、州兵の喉元《のどもと》に刃を突きつけて声を張った。

「止まれ！　全員！」

九騎の州兵たちがシャルを取り巻いた。弓をつがえ、シャルに狙《ねら》いをつける。全員がシャルの周囲にいることを確かめると、シャルはさっと姿勢を低くした。そのまま地を吹《ふ》き抜ける風のように、自分を囲む環《わ》の一角へ突っこんだ。

いくつもの矢が飛来し、シャルの頬《ほお》、肩《かた》をかすった。

がつんと、右肩《みぎかた》に衝撃が来た。矢が刺さった。通常よりも太い矢羽根を見て悟《さと》る。馬車の壁に穴を開けた、あの強弓の矢だ。大きな鏃が食い込み肩が上がらない。

歯を食いしばり、そのまま目の前の二頭の馬の足を斬り飛ばす。

二頭の馬が同時に嘶き倒れ、左右にいた馬を巻きこむ。一気に四頭の馬が倒れ、州兵たちが投げ出される。

――あと、五人。

左手で、右肩につき立った矢を引き抜く。太い棒でえぐられる痛みだ。呻くと、肩からこぼれ落ちる銀の光が暗闇にキラキラと散る。

剣を構えた残り五人に向かって駆けた。剣の背で、一人の足を思い切り叩《たた》いて落馬させると、別の馬一頭の足を斬った。その一頭は横の一頭を巻きこんで、倒れる。

――二人。

怯《おび》えたように馬をなだめる一人と、こちらに向かって剣を構える一人。シャルは剣を構える州兵に向けて走った。州兵が馬を操《あやつ》り駆けてくる。剣を振りかぶって、シャルの肩に斬りかかろうとする。シャルは振り下ろされた剣を弾き、ふり返りざま、相手の肘《ひじ》辺りを狙って刃を走らせた。きき手の肘を浅く切り裂《さ》くと、州兵は剣を取り落とした。

――一人。

さすがに息があがっていた。

剣を構えて最後の一人に向き合うと、州兵は突然《とつぜん》馬首を返し、背後に向けて駆け去った。

この惨状《さんじょう》でシャルと向き合う不利を感じて、援軍《えんぐん》を呼びに行ったのだろう。怪我《けが》人の収容も必要だ。

地面に横倒しになりもがき嘶く馬と、気を失い、あるいは呻きながら地面に膝をつく州兵たち。それらをざっと確認して、シャルは早足に箱形馬車のところへとって返した。

ラファルは馬上から、皮肉に笑った。

「ご苦労だな。殺せば良いものを敵を気遣《きづか》い、自分はそのていたらくか」

嫌みにつきあっている暇《ひま》はなかった。

「すぐに、追っ手が来る。そのまえにここを離《はな》れる」

痛みをこらえながらそれだけ言うと、御者台へ向かう。

箱形馬車の荷台扉《とびら》の前に突《つ》っ立っていたエリルが、呆然《ぼうぜん》と呟《つぶや》く。

「なんで、あんな真似《まね》」

感情のままに振る舞《ま》う幼い彼の言動に、戦いの興奮も手伝って、かっとした。思わず、シャルはエリルの頬を平手で思い切り叩いた。平手打ちの衝撃《しょうげき》で傷が痛み、シャルは顔を歪《ゆが》めながらも怒鳴った。

「貴様が馬鹿だからだ！　人間にとってラファルは罪人だが、おまえはそうじゃない！　わざわざ追われる者になりたいのか！　無闇《むやみ》に戦うな！」

痛いよりも、驚いたのだろう。エリルが叩かれた頰に手を当て、きょとんとした。

「シャル。エリルに手をあげたな」

ラファルが低く、脅《おど》しつける。シャルは吐《は》き捨てた。

「親鳥なら親鳥らしく、本当の意味で雛《ひな》を守れ」

シャルはそのまま歩いて行き、御者台に乗った。肩が痛む。背後を確認《かくにん》すると、ラファルがエリルを自分の馬の上に引きあげているのが見えた。そして荷台の扉から顔を出したアンと、目が合った。

「シャル？　どうしたの、大丈夫《だいじょうぶ》？」

なにかを察したようにアンは表情を曇《くも》らせるが、今はとにかく、一刻も早くこの場から離れなくてはならない。

「なんでもない。中に入っていろ。これから走る」

命じると前を向き、歯を食いしばりながら馬に鞭《むち》を入れた。

ラファルと同じ馬に乗って夜の中を疾走《しっそう》しながらも、エリルの頰はじんじんと痛む。

ラファルの背中越《ご》しに前方を見れば、箱形馬車が猛《もう》スピードで走っている。

馬車を操っているのはシャルだ。彼は太い矢を肩に受け、かなり深い傷を負っているはずだ。

なぜ彼は、あんなまどろっこしい戦い方をしたのか。それが不思議でならなかったから、ただ訊《き》いただけなのに、彼はエリルの頰を打った。

――ぶたれた。彼は優《やさ》しくない。

すねる気持ちが大きい。ラファルなら絶対にこんなことをしない。エリルとともに敵を皆殺《みなごろ》しにして、その後、ねぎらってくれるはずだ。

すねる気持ちは大きいのに不思議とシャルを憎《にく》いと思えないのは、彼の行動があまりにも理解できないので、その理由を考えてしまうからだろう。

彼の怒鳴り声が耳に残る。「無闇に戦うな」と彼はそう言った。その理由はなんだろうか。

そして、かつてシャルがラファルと対決した理由は、なんだったのだろうか。

――理由。

はじめて、そんなことが気になった。

六章　アンの王様

シャルは州兵と戦ったらしい。けれど彼は幾度《いくど》も「殺すな」と叫《さけ》んでいた。おそらくシャルは州兵たちを足止めはしても、殺していない。そのことにアンはほっとしていた。

しかしシャルがどこへ向けて箱形馬車を走らせているのか、不安だった。「中に入っていろ」と命じた声には、質問を拒否《きょひ》する響《ひび》きがあった。

追っ手を危惧《きぐ》し、できるだけ遠くへ逃《に》げようとしている。

だがこの暗闇《くらやみ》で馬車を走らせれば、自分の位置が分からなくなる危険が大きい。それを承知で走らなくてはならないほど、状況《じょうきょう》は切迫《せっぱく》しているのだろう。

アンは砂糖菓子《がし》をしっかりと抱《かか》えたまま、ミスリルと一緒《いっしょ》に荷台の隅《すみ》っこに座っていた。振《しん》動《どう》でお尻《しり》や背中が痛くなるし、眠《ねむ》くて瞼《まぶた》が重い。幾度かうとうとしかけたが、その度《たび》にはっとして砂糖菓子を持ち直した。

走り続けていると、ようやく高窓から見える空が明るくなってくる。それとともに箱形馬車は速度を落とし、並足程度の速さになる。

速度は徐々《じょじょ》に落ち、そしてとうとう車輪の軋《きし》みがとまった。

「……とまった？」

「だよな」

ミスリルと顔を見合わせると、アンは砂糖菓子を作業台に戻《もど》し、ミスリルを肩に乗せて荷台から出た。東の空がぼんやりと薄紫《うすむらさき》に輝《かがや》き、闇が追い払《はら》われようとしていた。

箱形馬車が止まったのは、右手に切り立った断崖《だんがい》を見あげる草原だった。ビルセス山脈の懐《ふところ》深くであることは間違《まちが》いないが、道らしき道はない。

馬の鼻息が聞こえたのでそちらを見ると、ラファルとエリルが一頭の馬にまたがり、草原の周囲を歩き回っている。次にどこへ向かうべきなのか、彼らも方向を見失っている様子だ。

「シャル。ここ、どこ……」

高い崖《がけ》を見あげながら御者台《ぎょしゃだい》に近寄ると、シャルが手綱《たづな》を握《にぎ》ったまま、ぐったりと荷台にもたれかかっているのが目に飛び込んできた。

「シャル！」

御者台に飛び乗って、彼の両肩《りょうかた》に手をかけた。すると左手が触《ふ》れた場所から、きらきらと光の粒《つぶ》が指にまとわりつくように飛び散った。

「こいつ怪我したんだ！」

ミスリルがシャルの右肩《みぎかた》に飛び移り、光がまとわりつく辺りを撫《な》でさする。

「傷はふさがってるけど、かなり深かったんだろうな」

痛ましげなミスリルの声に、アンは泣きたくなる。

「とにかく、なんとかしなくちゃ」

「アン、砂糖菓子だ！」

ミスリルに言われてアンは急いで御者台を降りた。

荷台に駆《か》け込むと砂糖菓子を手にした。完璧《かんぺき》だと思うほどに仕上げはできていないが、形になっている。これでも充分《じゅうぶん》、力になるはずだ。

荷台から地面に降りた途端《とたん》、目の前にラファルが立っていた。びっくりして悲鳴をあげそうになったが、かろうじて飲み込む。

立ちふさがるラファルを睨《にら》みつけた。

「そこをどいて」

「その手にある砂糖菓子は、わたしの砂糖菓子だな？」

「そのつもりだったけれど、あげられない。シャルが怪我《けが》を……」

言い終わらないうちに、ぐいと腕《うで》を引かれ砂糖菓子を奪《うば》い取られた。あっと思った時には突き放され、地面に尻餅《しりもち》をついていた。

「ご苦労だったな。銀砂糖師」

ラファルの手に握られた砂糖菓子が、金の光に包まれてほろほろと消えていく。

「待って、やめて！」

——消えちゃう。

視界が滲《にじ》んだ。せっかくシャルが回復するための砂糖菓子があったのに、消えた。

砂糖菓子を奪われて手も足も出ない自分が、情けない。情けなくて悔《くや》しくて、手をついた地面にある雑草を握る。

——悔しい。

無力感に、俯《うつむ》く。

——誰《だれ》かの助けになるために、ここに来たのに。わたしは、わたしたちを守ってくれるシャルのために、なんにもできないの？　悔しい。悔しい。

自分のふがいなさが情けない。誰かに無慈悲《むじひ》に支配されるというのは、これほどにも悔しい。

「おい、おまえ！　なにしてんだ！」

ミスリルの怒鳴《どな》り声がしたので、ぎょっとして顔をあげた。アンを庇《かば》うように、ミスリルが目の前に立ってラファルと対峙《たいじ》している。ラファルはミスリルには目もくれず、ほとんど消えかかっている掌《てのひら》の砂糖菓子を見つめている。

「何をしているのかって訊いているんだぞ！　ラファル・フェン・ラファル！」

「食事だ」

静かに答えると、ラファルはうっすら魅惑《みわく》的な微笑《ほほえ》みでミスリルを見おろす。その目は、食事を邪魔《じゃま》される不快感に苛立《いらだ》っている。それを察してか、ミスリルの羽と膝《ひざ》が震《ふる》え出す。

「け、怪我人がいるのに、砂糖菓子を独《じ》り占めかよ。もう、我慢《がまん》できないぞ。アンを脅《おど》かして、砂糖菓子を独り占めにして」

震え声ながらも、ミスリルはラファルを睨みつけている。

「うるさいぞ、ミスリル・リッド・ポッド。貴様には関係ない」

「関係……おおありだ。アンは、俺様の国民第一号だ。ことは、シャル・フェン・シャルは自動的に、国民二号だ。お、王様は、国民のために戦うものなんだぞ」

「王？」

掌の砂糖菓子をすっかり吸収すると、拳《こぶし》を握り、ラファルはその拳を見つめながら面白《おもしろ》くてたまらないように笑いはじめた。

「貴様が、王？　面白い冗談《じょうだん》だ」

「冗談なんかじゃないぞ。俺様は、王様だ」

ミスリルは真剣《しんけん》だった。肩《かた》を怒《いか》らせ相手を睨みつけ、全身で怒っている。

含《ふく》み笑うラファルから、残忍《ざんにん》な気配がにじみ出してくる。苛立ち紛《まぎ》れに、なにをしでかすか分からない。

「ミスリル・リッド・ポッド。やめて！」

アンは膝でにじり寄って、ミスリルを胸に抱えた。ミスリルの体は震えていたが、それでもアンの腕からもがき出ようと抵抗《ていこう》する。

「はなせ。アン」

「だめよ！　あの人、何でもする！　殺される。おとなしくしていて」

「おとなしくなんかできるか！　俺様は王様だ！」

「だめだってば！　それでなくてもあなたは弱ってるのに！」

「弱っていても、死にかけでも、誰が認めなくても、王様だ！　アンが王冠《おうかん》をくれたから、俺様は王様なんだ！」

「王冠？　そんなものがどこにある。あるならばすぐに真の妖精《ようせい》王エリルに差し出せ」

ラファルがうすら笑う。ミスリルは力一杯《ちからいっぱい》叫《さけ》んだ。

「王冠は俺様の中だ！　食べちゃったからな！　ざまあみろっ！　俺様から王冠を奪える奴《やつ》はいないんだ！　だから俺様が王様だ！　王様らしくアンたちのためにできることは全部して、おまえなんか怖《こわ》がらないんだ！」

思わずアンはミスリルを抱《だ》きしめた。

──わたしの王様だ！

力一杯叫んだミスリルの言葉が、アンの胸にまっすぐ響く。

アンが最初ミスリルに出会ったとき、彼は主人の妖精狩人《かりゅうど》に痛めつけられていた。それでも果敢《かかん》に抵抗し、おせっかいを焼いたアンにすら毒づいた。どんな目にあっていても、彼は常に強気で戦う姿勢だった。情けなさに打ちのめされて、項垂《うなだ》れてはいなかった。

──強い。わたしの王様。

さらに強く、ミスリルを抱きしめた。

「わかってる、ミスリル・リッド・ポッドは立派な王様」

ミスリルはぴたりと動きを止めて不思議そうにアンを見あげる。

勘違《かんちが》いでもなんでもなく、ミスリルはアンにとって立派な王だ。彼は誇《ほこ》り高く、けして諦《あきら》めない。素直《すなお》に怒って、前を向く。

朝日が草原の端《はし》からのぼり、アンの背が、まっすぐな明るさに照らされる。

──わたしだって、ミスリル・リッド・ポッドの国民の一人だって言ってくれた。

アンはミスリルに頷《うなず》いてから、顔をあげた。

「ミスリル・リッド・ポッド。怒ってくれなくても、大丈夫《だいじょうぶ》。わたしでも、なんとかできる」

こちらを見おろすラファルと目が合ったが、アンは視線をそらさなかった。

ゆっくりと立ちあがると、ミスリルを片手で抱《かか》えたまま、落ち着き払《はら》って片手でドレスについた草を払い落とした。

「ラファル。あなたが一つ食べちゃったから、もう一つ作る。そうすればいいだけよ。作るから大丈夫よ。ミスリル・リッド・ポッド」

言うと、ラファルが冷たく答えた。

「その暇《ひま》はないよ銀砂糖師。この場所がどこか、わたしたちにもわからないんだ。進路を洗い出し、すぐに目的の場所へ向かう。また州兵に襲《おそ》われてはかなわない。目的の場所に到着《とうちゃく》したら、好きなだけ砂糖菓子《がし》を作れ」

「なんだとっ⁉　それまで待てってのか⁉」

ミスリルが声をあげるが、アンはじっとラファルを睨んで言った。

「一刻も早く、あなたたちの目的の場所に到着すればいいってことよね」

そして、手を差し出す。

「地図を返して。今ちょうど日の出だわ。初秋の日の出の位置は知ってるから方角が分かる。方角と、地形でここがどこなのか地図と照らし合わせて確認《かくにん》する」

母親と旅を続けた十五年で、アンは旅に必要な知識を身につけた。

正しい地図の選び方や、地図の読み方。方角の見つけ方。方角と地形を確認して、地図と照らし合わせて自分の位置を知る方法。

どれもこれも、経験を重ねれば精度が上がる。ラファルよりは確実に、自分の方が旅慣れていると確信がある。もしラファルが旅慣れているのならば、是《ぜ》が非《ひ》でも正規の詳細《しょうさい》地図を手に入れようとしたはずだ。

「いいだろう」

ラファルはすぐにきびすを返し、近くでエリルが手綱《たづな》を引いて草を食べさせている馬の方へ戻《もど》る。エリルが不安そうにアンを見る。一言二言、ラファルはエリルと言葉を交《か》わすと、鞍《くら》の脇《わき》につけた荷物入れから地図を取り出した。それを手に戻って来ると、アンに詳細地図を突《つ》き出す。

「位置を調べ、目的地の方向を割り出せ。すぐに出発したいからな」

アンは頷くと地図を受け取った。

「アン。大丈夫なのか？」

ミスリルがアンの腕《うで》から這《は》いだして、肩のうえに乗る。心配そうに顔を覗《のぞ》きこんでくるので、安心させるように言った。

「目的の場所には近づいているはず。そう時間はかからない。できるだけ早くその場所に到着して、シャルに砂糖菓子をあげる」

地図を荷台の出入り口に広げ、アンは太陽の位置と地図を見比べた。くるくると地図の方向を回転させて、自分の立ち位置と地図の方角をあわせる。

——わたしが、なんとかするしかない。

必死に頭を働かせ、目に入る景色の情報を地図に置き換《か》えた。

自分の正面から朝日が昇《のぼ》り右手に高い崖《がけ》が続いている。草原を見回せば、左手側がなだらかに下がりまばらな林に接している。遠くに川筋が一本見える。

「昨夜の林は、細い道に沿っていたここ。一晩でまっすぐ馬車を走らせたとしても、可能な移動範囲《はんい》はこの円の中におさまるはず」

地図にぐるりと指で円を描《えが》き、方角と周囲の目印を確認する。自分のいる場所の見当をつけ、人差し指を置く。そしてその近くにつけられた、バツ印に気がつく。

「近い」

思わず声をあげて、ミスリルを見やった。

「今の位置がわたしの思っているとおりの場所なら、王国の中心はすぐそこよ。馬車で半日もかからない」

「本当か!?」

ミスリルの顔も明るくなる。

アンは地図を手に、こちらを遠くから眺《なが》めているエリルとラファルの元に早足で向かった。

「今いる位置がわかった。二人が行きたがっている王国の中心から、近い。馬車で半日かからないわ」

「案内をしろ」

ラファルの命令に、頷く。

「いいわ。ついて来て」

きびすを返し、御者台《ぎょしゃだい》へ向かう。シャルはまだぐったりと目を閉じている。閉じた睫《まつげ》に朝日がまとわりついて滴《しずく》のようだ。表情は穏《おだ》やかだ。怪我《けが》を負い気を失ったのだろうが、そのまま疲《つか》れ切って眠《ねむ》ってしまったらしい。いつも彼が身にまとっている鋭《するど》い雰囲気《ふんいき》がなくなり、無防備な姿がどこか可愛《かわい》らしい。

――大丈夫。シャルは弱っているだけだから、死ぬことはない。

冷静になるために自分に言い聞かせ、御者台に乗るとシャルの手からそっと手綱を取りあげた。そしてシャルの横に滑《すべ》り込む。ミスリルがアンの膝《ひざ》の上に乗った。

するとシャルの睫が震《ふる》え、目を開いた。

「……なにをしている。州兵……追っ手は」

ぼんやりと寝《ね》ぼけたように呟《つぶや》く。

「そのままにしていて。州兵の追っ手はまだ見えないから大丈夫。でも、ここにとどまるのは危険だから、今から目的地に向かって出発する。大丈夫、位置は分かっているから」

「……そうか」

それだけ返事すると、シャルは再び目を閉じた。

アンは馬に鞭《むち》を入れ、箱形馬車を発車させた。ゆっくり動き出した箱形馬車に寄り添《そ》うように、エリルを同乗させたラファルの馬が並ぶ。

車輪が軋《きし》み、馬がリズムに乗って走り出すと、ふいにアンの肩《かた》にことりとシャルの頭が乗った。眠りこんでいるらしく、目覚める気配がない。

シャルの重みが少し嬉《うれ》しくて、アンはそのまま馬車を操《あやつ》り続けた。

目的の場所へ行くための道が整備されているわけではなかった。林を迂回《うかい》し、岩場を回りこみながら進んだ。馬車は草地や岩場に車輪をとられ、なかなかすすめないときもあった。しかし馬車を放棄《ほうき》する必要もなく、なんとか迂回路を見つけられている。

——どうしてなんだろう。

障害物が目の前に現れる度《たび》、周囲を探すと迂回路がある。迂回路は草で覆《おお》われていたり、崖《がけ》崩《くず》れで道幅《みちはば》が狭《せま》くなったりしている。それでも目的の場所に到着できるように、準備がされている感じがする。

——そこへ行くための道を、誰《だれ》かが作ってる？　そんなに古いものじゃない。せいぜい、一年かそこら。誰かがそこへ行った？

一年以上道を通る者がいなければ、道はあっという間に自然の中に呑《の》み込まれているはずだ。標高が徐々《じょじょ》に高くなり、そろそろビルセス山脈の中腹辺りにさしかかる。左右に断崖《だんがい》が迫《せま》る、大地の亀裂《きれつ》のような場所を馬車は進んでいた。まばらだった林はこの亀裂に入った辺りで徐々に豊かになってくる。どこかに水が湧《わ》き出しているのかもしれない。周囲の土地が、今までの場所に比べて格段に湿気《しっけ》を含《ふく》んでいる。

森の中を走っていると、手綱《たづな》を握《にぎ》るアンの手の甲《こう》やミスリルの羽、シャルの頬《ほお》に木漏《こも》れ日が落ちる。シャルはずっと眠ったままだった。

ラファルとエリルを乗せた栗毛馬《くりげ》も、毛皮で木漏れ日を弾《はじ》くように軽《かろ》やかに進んでいた。

車輪の軋む音と、馬の蹄《ひづめ》の音だけが森の中に響《ひび》く。太陽は高い位置にある。

「もう、この辺りがそうなんだけど」

アンは地図を見ながら、首を傾《かし》げた。この大きな亀裂の中央辺りが、目的の場所のはずだ。

地図上で確認できる、王国の真ん中なのだ。

亀裂に入ってからの馬車の速度を考えれば、だいたいどのくらい進んだのか計算ができる。

それでいけば、この辺りが該当《がいとう》の場所なのだ。

徐々に箱形馬車の速度を落とすと、併走《へいそう》するラファルたちも足並みを揃《そろ》えて速度を落とす。

ひくっと、ミスリルが小鼻を動かす。

「なんか、甘い香《かお》りがするぞ」

くんくんとミスリルが鼻を鳴らしていると、シャルの睫が震え、ゆっくりと目を開く。自分がアンの肩にもたれかかっているのだと気がつくと、ちょっと苦笑《くしょう》して体を起こした。

「シャル。大丈夫《だいじょうぶ》？」

「ああ」

大儀《たいぎ》そうに荷台に背をつけたままだが、声は意外にしっかりしている。

「無理するなよシャル・フェン・シャル」

「したくとも、できん。それより甘い香りがする。向こうから」

目を細めると、シャルは前方を指さした。

木漏れ日が筋になって落ちる森がずっと先まで続いている、さらにその先。

白い靄《もや》がかかっている。

車輪がゆっくりと回転するにつれ、その白いものの姿もはっきりしてくる。息を呑んだ。

「砂糖林檎《りんご》！」

アンは思わず叫《さけ》んだ。

森の中に突如《とつじょ》現れたひと群れの木々は、砂糖林檎の巨大《きょだい》な林だった。白い靄のように見えたのは、銀灰《ぎんかい》色の幹や枝が、光を弾いて白く輝《かがや》いているからだ。

王国の真ん中には、最初の砂糖林檎の木がある。五百年間人間の手が触《ふ》れていないと、ルルが告げた場所だ。

間違《まちが》いない。その証拠《しょうこ》に、そこに砂糖林檎の林がある。

「見つけた！」

感極《かんきわ》まったように、ラファルが声をあげた。そして馬を一蹴《ひとけ》りすると、速度を上げ砂糖林檎の林へ向かった。アンも馬に鞭を入れ速度を上げる。

銀灰色の幹と細い枝と、新緑のようなみずみずしい葉。背の低い繊細《せんさい》な砂糖林檎の木には、緑の小さな実が鈴《すず》なりになっていた。

砂糖林檎の林に入ると、アンは箱形馬車を停車させた。無闇《むやみ》に馬車を乗り入れて、砂糖林檎の枝が傷つくのが嫌《いや》だった。ラファルとエリルの馬は、まっすぐ森の奥へ駆《か》けていった。

アンが御者台を降りると、シャルもゆっくりと続いた。御者台を降りた途端《とたん》すこし足元がふらついたようだったが、それでもすぐに体勢を立て直した。

二人してゆっくりと歩き出すと、ミスリルがそわそわした様子で、

「俺様ちょっと、先を見てくる！」

と駆け出した。

しばらく進むと、水の匂《にお》いがした。見ると砂糖林檎の木々に囲まれて、透明《とうめい》度の高い水をたたえた池が、太陽の光を弾きながら揺《ゆ》らめいていた。水面《みなも》は鏡のように、周囲の砂糖林檎の木々を映している。

池のほとりで、ラファルの馬が草を食《は》んでいる。ラファルとエリルは、池の周囲に並び立つ砂糖林檎の木々の間を歩き回っていた。

「アン、シャル・フェン・シャル！　水だ！　冷たいぞ」

ミスリルが池でザブザブ顔を洗って、こちらを振《ふ》り返った。

「ここが、その場所か？」

シャルは周囲を見回し、アンもぐるりと視線を廻《めぐ》らせる。

「場所的には、間違っていないの。けど……」

その時、アンははっとした。

「あれは！」

池のほとりに立つ一本の砂糖林檎の木に駆け寄り、アンはその場に膝をついて絶句した。

シャルとミスリルが追ってきて、アンの背後から手元を覗《のぞ》きこんだ。

「どうしたんだ？　アン」

不思議そうにミスリルに問われて、アンは首を振った。

「わけがわからない。これ」

アンが指さしたのは、幹に結ばれている色あせた朱色《しゅいろ》のリボンだ。そこにはマーキュリー工《こう》房《ぼう》と、糸で簡単な縫《ぬ》い取りがしてある。

シャルも眉《まゆ》をひそめる。彼もまた、この場所と、ルルが教えてくれた場所との矛盾《むじゅん》に気がついたのだろう。

「地図の上、ここは間違いなく王国の中心。最初の砂糖林檎の木がある場所だって、ルルが教えてくれた場所。間違いないよね。だって砂糖林檎の林がここにある」

「だよな。間違いないよな」

うんうんとミスリルは腕《うで》組《ぐ》みして頷《うなず》く。

「けどここに来る道中、おかしいと思ってた。誰かが、一年に一度か、二度。この森へ来るための道を通っている感じがした。その人がこの場所へ来るために、道をつけている。それで、このリボン。このリボンは、去年ここの砂糖林檎を、マーキュリー工房が収穫《しゅうかく》したっていう印。

ていうことは、この砂糖林檎の林は毎年、マーキュリー工房が収穫に来る林なのよ」

アンはミスリルを振り返った。

「五百年間、人間の手に触れられていない場所じゃない」

「どういうことだ。銀砂糖師」

下草を踏《ふ》む音がして、ラファルとエリルがこちらにやってくる。アンの言葉を聞いていたのだろう。苛立《いらだ》ったように問う。

「ここは、王国の中心ではないのか」

「間違いなく王国の中心。位置はあってる」

「しかし人間の手が触れている！　以前から、何度も！」

怒鳴《どな》り、ラファルは目の前の砂糖林檎の枝を折りとった。木が裂《さ》ける悲鳴のような音がして、静寂《せいじゃく》が落ちた。風が吹き抜《ぬ》け、砂糖林檎の枝がこすれ合って涼《すず》やかな音が周囲を廻る。

しばらくして、淡々《たんたん》とエリルが口を開く。

「あのルルって人が、この場所は人間に見つかっていないって思っていただけかも。でもそれなら仕方がない。ラファル、別の場所を探せばいい。僕は安心できる場所ならば、どこでもいい。別の場所へ行けばいい」

「ここまで来て、そんな場所はなかったと……？」

折りとった枝を両手に握りしめ、ラファルは呻《うめ》いた。曖昧《あいまい》な髪《かみ》色が、光に揺らめき薄緑《うすみどり》や金にてらてらと色を変える。彼の困惑《こんわく》と執念《しゅうねん》を物語るように、髪色と羽の色が変化する。

シャルは砂糖林檎の香りをかぐように軽く顔を上向かせ、なにか考えているようだった。しばらくすると疲《つか》れたのか、近くの砂糖林檎の木の下に腰《こし》を下ろし枝を見あげる。

「五百年人間に触れられていないとルルは言った。あのルルが、確証もないのに断言するはずはない」

シャルの言葉に、全員の視線が彼に集まった。

「ここには、なにかがあるはずだ。そもそも最初の砂糖林檎の木はどれだ？　それもわからない。簡単には見つけられない、だから人間の手が触れていない……もし、そうであるならば。俺たちには見えていない場所があるということだ」

改めて、アンは周囲を見回した。

この場所に、今のアンたちには見えない場所があり、そして見えないものがある。

「探す」

決意を固めるようにラファルは呟《つぶや》き、次には傲然《ごうぜん》とアンを見おろす。

「今から、わたしのために砂糖菓子《がし》を作れ銀砂糖師。来い、エリル」

歩き出したラファルを追って、エリルもきびすを返す。しばらく行くと彼は立ち止まって、振り返った。

「食事、とれば？　アン」

それだけ言うと、歩いて行った。

昨夜から今まで、アンは食事はおろか、水さえも口にしていなかったことに気がついた。それでもまったく空腹は感じないが、急に喉《のど》が渇《かわ》いた。

「どのみち……最初の砂糖林檎の木が見つかって、その場所が分からない限り、ラファルはなにも教えてくれない」

アンは立ちあがった。それよりも、シャルが座りこむほど弱っているのをなんとかしなければならない。ラファルは自分のために作れと言ったが、その前にシャルのために砂糖菓子を作るのだ。誤魔化《ごまか》して、しらばっくれて、とにかく一つ、シャルのために砂糖菓子を作るのだ。

シャルは池から少し離《はな》れた、砂糖林檎《りんご》の木の幹にもたれかかり足を伸《の》ばして座っていた。太陽が傾《かたむ》き、砂糖林檎の林は薄墨《うすずみ》を流したような暗さに覆《おお》われはじめた。

――火をおこす必要がある。

標高が高いぶんだけ、空気は冷たい。夜中になればもっと冷え込むだろう。シャルやミスリルには必要ないが、アンが凍《こご》えてしまう。

しかし体が重くて、思うように動けないのが正直なところだ。

昨夜の傷はふさがっているが、体から流れ出たエネルギーはかなりのものだったらしい。

アンは箱形馬車の荷台に入り、砂糖菓子を作り始めた。ラファルの指示どおり、彼のために砂糖菓子を作っているとは思えない。荷台に入るときのあの決意したような表情から察するに、彼女は命令を無視し、シャルのために砂糖菓子を作ろうとしているのだろう。

できあがった砂糖菓子をラファルが発見すれば、よこせと言うだろう。アンが素直《すなお》にそれを渡《わた》すはずはない。しかし一悶着《ひともんちゃく》があったとしても、砂糖菓子を一つでも食べられるならばありがたい。今のままでは、シャルはろくに動けない。

「ひっぱたいたね」

背後からエリルの声がした。下草を踏む足音は聞こえていたし、気配も感じていたので振り向きもしなかった。無視されたのが気に入らなかったのか、エリルは正面にまわって来た。そして、これで無視もできまいというように目の前にしゃがみこんだ。

「昨夜ひっぱたいたね、僕のことを」

もう一度言うので、うんざりした。

「それがどうした」

「なんでひっぱたくの。理由を教えて」

「教えたはずだ。馬鹿《ばか》だからだ」

「殺さないの？」

「馬鹿を殺していたらきりがない」

むすりと黙《だま》り込み、エリルは俯《うつむ》いた。

「あなたはラファルのように優《やさ》しくない」

考えの固まりきっていない彼をラファルのようにしたくないと思っていたが、今の体の重さでは彼を説得するのは億劫《おっくう》だった。そもそも、ラファルの計略にはまりエリルを激怒《げきど》させ、そのうえ昨夜は彼の顔をひっぱたいたのだ。それを埋《う》め合わせるのはもはや不可能だろう。

──エリルは雛鳥《ひなどり》のようにラファルを慕《した》っている。

卵からかえった瞬間《しゅんかん》目にしたものを慕い続ける、刷り込みのようなものか。

「優しくして欲しいか？　無力でもないくせに」

「僕はまだ……世界の様子がよく分からない。知らない。なにも。生まれて日が浅いから」

「いつ生まれた？　おまえが生まれたダイヤモンドは、ラファルが持っていたはずだ。奴《やつ》はそれを持って、城壁《じょうへき》から落ちた。その後か？」

「たぶん、そう。雪原だった。僕が生まれたと気がついたとき、周りは雪が薄《うす》く積もっていてラファルは倒《たお》れてた。城壁から落ちたんだって言ってた。なんとか逃《に》げたけれど、もう動けないって。ダイヤモンドを見つめながら死にかけてた。ラファルが見つめてくれたから、僕は生まれた」

城壁から転落したラファルは、かろうじて体の形を保っていたのだろう。だから気力を振《ふ》り絞《しぼ》り逃げられるところまで逃げたが、雪原で力尽《ちからつ》きた。そこで死を覚悟《かくご》し、懐《ふところ》のダイヤモンドを見つめていたのかもしれない。そして、その時にエリルが生まれた。

「さぞかし喜んだろう。ラファルは」

最初から反抗的《はんこう》なシャルにさえ、ラファルは執着《しゅうちゃく》していた。その彼がシャルよりもなお存在を望んだ、兄弟石の妖精《ようせい》の誕生だ。エリルへの執着はどれほどのものか。

「哀《かな》しんだ。一緒《いっしょ》に行けないって。もう自分は助からないから、逃げろって。人間の手が届かない場所へ行って、妖精王として立てと」

「死を覚悟したラファルが、なぜ命を繋《つな》ぎとめることができた？　ここは王国の中心だ。ここまでつきあったんだ。教えろ」

「五百年人間の手が触《ふ》れていない場所は、まだ見つかっていない。見つかったら教える」

「よくよく、ラファルに飼い慣らされているな」

「僕は彼に飼われているわけじゃない。彼が好きなだけ。彼と一緒にいたいだけ」

銀の瞳《ひとみ》を揺《ゆ》らして、エリルは囁《ささや》くように呟く。

「彼がどんなことをして、どんなことを考えていても一緒にいたい。そのために僕が守る」

伏《ふ》せられた睫《まつげ》も、艶《つや》やかな瞳も唇《くちびる》も、魅惑《みわく》的で美しい。そして高い戦闘《せんとう》能力がある。けれど彼はまだ幼くて、唯一《ゆいいつ》安心できる存在のラファルとともにいることにしか、興味がない。だから彼を必死で守りたがるのだ。

「好きにしろ。慕っている相手がラファルだということを除けば、気持ちは分からんでもない」

どんなことをしても一緒にいて、守り慈《いつく》しみたい。相手を思う気持ちが、シャルには分かる。

相手が冷酷《れいこく》非情な妖精でも、馬鹿な小娘《こむすめ》の人間でも、その気持ちだけは同じだろう。

エリルは立ちあがると歩き出そうとして、ふと思い出したように訊《き》いた。

「どうしてあなたもミスリルも、人間のアンと一緒にいるの？　砂糖菓子が必要だから？」

「あいつが両手を失って砂糖菓子が作れなくなっても、一緒にいる」

「どうして？」

「おまえがラファルと一緒にいる理由と同じだ」

投げやりな答えに、エリルは気を悪くした様子もない。ただ難しい顔をする。

「好きなの？　人間なのに」

「おまえは人間のあいつが嫌《きら》いか？」

逆に問うと、エリルは眉《まゆ》をひそめた。頭が痛むかのように軽くこめかみを押さえる。

「わからない。でも、彼女の作る砂糖菓子は欲しい。嫌いじゃないかもしれないけれど、人間だから……僕たちと違《ちが》うから」

「違っていることが、悪いか」

問うと、エリルははっとしたような顔をする。彼がまた口を開こうとする気配がしたので、面倒《めんどう》になって、シャルは追い散らすように手を振った。

「行け、鬱陶《うっとう》しい。おまえは質問が多すぎる。馬鹿は馬鹿なりに、自分の頭で考えろ。俺が守っている馬鹿もそうしてる」

「やはりあなたは優しくない」

シャルにぶたれた頬《ほお》に触れ、エリルは俯く。

歩き出したエリルの背には、二枚の羽がある。星屑《ほしくず》を集めたような輝《かがや》きがある美しい二枚の羽は、対《つい》であるからこそなお美しいと思えた。片羽を失っていない者に羨望《せんぼう》を覚えるのは、妖精なら当然だった。

エリルを見送り、シャルは立ちあがった。火をおこす準備に取りかかる。

火をおこしてほっとすると、シャルはまた砂糖林檎の木にもたれて眠《ねむ》った。

「シャル。シャル」

潜《ひそ》めた声で呼ばれて肩《かた》を揺すられ、目が覚めた。

目を開けると、細い月と砂糖林檎の枝を背景にして、アンが跪《ひざまず》いてシャルを覗《のぞ》きこんでいる。

月の位置から察するに、真夜中だろう。

幹に預けている背を起こそうとしたが、体のだるさも重さも眠る前と変わらず、すぐには動けない。それを察したように、アンの手が優しくシャルの肩を押して起きるなと言うように首を振る。彼女はきょろきょろと周囲を見回して、囁く。

「そのままにしてて。ラファルとエリルは、向こう側で眠ってる。ミスリルが見張ってくれているから。今の隙《すき》にこれを食べて」

下生えの上に置かれていたものを、アンは両手で大事そうに持ち上げてシャルに差し出した。

そこにあったのは、つやつやとした赤い小さな砂糖林檎《りんご》の実。そしてそこにひっそりととまっているのは、黒く艶やかな羽の蝶《ちょう》だ。蝶の羽は月光を透《す》かし、黒いのに銀の粉をまぶしたように輝いている。

「小さくてごめんね。時間がなくて。ラファルに気づかれないように、時間はかけられなくて」

砂糖林檎の林の中で、シャルのために砂糖菓子《がし》を作るという状況《じょうきょう》からの連想で、アンはこの形を作ったのだろう。黒い蝶はシャルから連想したに違いない。

しかしシャルにとってこの形は、自分の心の内側を形にされた気がした。

赤い可愛《かわい》い木の実に寄り添《そ》う蝶は、アンに恋《こい》し彼女と離《はな》れがたい自分の姿と重なった。

砂糖菓子の香《かお》りは甘く、誘惑《ゆうわく》に満ちている。それをアンが差し出している。

シャルはアンの両手の上に載《の》った砂糖菓子に、自分の両手をかざした。そしてアンの掌《てのひら》を上から包むようにして、砂糖菓子の甘さを感じる。アンとシャルの掌の間に金の光が満ちて、ほろほろとアンの掌の上からこぼれる。

自分の指の隙間《すきま》から流れ落ちる金の光を見つめながら、アンが呟《つぶや》いた。

「……綺麗《きれい》」

甘さが体にしみ渡り、羽を優しく撫《な》でられたときに似た快感を覚える。ため息が漏《も》れた。

七章　運命に勝つ切り札

「すこしは、良くなった？」

掌に載っていた砂糖菓子の重みが消え、アンの指の隙間からこぼれ落ちていた金の光も消えた。シャルはうっとりと目を細め、軽く上向いてぼんやりしている。

アンが問うと、ようやくシャルはアンに目を向けた。そしていきなり両手でアンの手首を摑《つか》み、唇を寄せた。アンの両掌に軽く口づける。冷たい唇が掌に触れ、黒髪《くろかみ》がアンの手首や指を撫でるようにさらさらと落ちかかる。ぞくりと、快感めいた震《ふる》えがきた。

「おまえの指は、甘い香りだ」

シャルは顔をあげて手を放した。月光がしたたるようにシャルの髪や睫や唇を照らし、黒い瞳はなにもかも見透《みす》かすほど深い色でアンを見つめている。

「よかった。わたし、また作業に戻《もど》る。ラファルのために作らないと」

かろうじて返事すると、シャルは頷《うなず》いてくれた。平気なふりをして立ちあがって背を向けたが、胸がどきどきしてどうしようもない。

作業に戻る前に、見張りをお願いしたミスリルを迎《むか》えに行こうと、アンは彼がいる池の方へ歩いて行った。池のほとりにたち、ミスリルは腰《こし》に手を当てて周囲をぎょろぎょろ見回していた。彼のとなりに小さな緑色の雨蛙《あまがえる》がいて、物珍《ものめずら》しそうにミスリルを眺《なが》めている。

「ミスリル・リッド・ポッド」

声をかけると、驚《おどろ》いた雨蛙が池に飛び込んだ。ミスリルはアンを認めるとこちらに駆《か》けてきて、肩にぴょんと飛び乗った。そして周囲をはばかるように、アンの耳元で訊いた。

「シャル・フェン・シャルは、食べたか？」

「うん。大丈夫《だいじょうぶ》。これから急いでラファルの……」

言いかけて、ぎょっとした。アンの頰に触れたミスリルの羽の感触《かんしょく》が、あまりにも冷たかったのだ。

妖精《ようせい》の肌《はだ》は冷たいものだが、吐息《といき》や羽は、彼らの命の力を示すように温かいのが普通《ふつう》だ。首をひねって、羽の色や厚みを観察する。昨夜、王冠《おうかん》の砂糖菓子を食べる前と同じように羽は薄《うす》くなり、色をなくしている。そして今、温かみさえも失われつつある。

砂糖菓子で繫《つな》ぐ命は、かりそめ。その現実を真っ正面からたたきつけられた気がした。

たった一日で、またこれほどにミスリルは弱っている。

思わず歩みがとまり、口から出た言葉が震えた。

「ねぇ、ミスリル・リッド・ポッド。今からあなたに砂糖菓子を……」

「それよりも、ラファルの砂糖菓子を作れよ。めちゃくちゃ、手抜《てぬ》きのやつな」

アンの言葉を遮《さえぎ》るようにミスリルは言って、面白《おもしろ》そうににやっとした。それから真顔になる。

「分かってるんだ、自分で。もう本当にぎりぎりなんだ……」

両手の拳《こぶし》を握《にぎ》る。アンが合間を見ながら作った砂糖菓子では、もう間にあわないのだ。決壊《けっかい》した川の堤《つつみ》を、土嚢《どのう》を積んで必死に食い止めようとするようなものだ。水は流れ続け、水の勢いで土嚢など簡単に押し流される。必要なのは、決壊した堤を修復する方法なのだ。

──はやく最初の砂糖林檎の木を見つけないと。でもどうやったら、見つけられるの!?

ルルが告げた最初の砂糖林檎の木があり、銀砂糖妖精の筆頭がいるという場所は、確かにここにあるはずなのだ。あのルルが確証もなく、あれほど真剣《しんけん》に話をするはずはない。

肩の上のミスリルの手に指先でそっと触《ふ》れた。

「必ずここに、最初の砂糖林檎の木はある。必ず見つかる。見つかったら必ず、ラファルの秘密を教えてもらえる」

そう口にしながら、アンは自分の言葉の一部を心の中で否定する。

──違う。必ず秘密を教えてもらえるわけじゃない。

砂糖菓子を作れば、目的の場所に到着《とうちゃく》した時に秘密を教えるとラファルは約束した。しかし彼の約束を信じられない。

エリルも同時に約束をしてくれた。彼はまだ信頼《しんらい》できる気がするが、ラファルの横やりで、彼もまた秘密を教えてくれない可能性がある。

だが、ミスリル・リッド・ポッドは、命を繋ぐために砂糖菓子を食べている。銀砂糖師のキャット、前銀砂糖子爵《ししやく》の息子《むすこ》キース、そしてアン。三人の砂糖菓子を小なりとはいえ口にして、幸運がやってこないはずはない。その砂糖菓子が彼にチャンスと幸運を授《さず》けている。

——見つからない最初の砂糖林檎の木。でもだからこそ、それが助けになる。これが勝つための切り札になる。ミスリルには、砂糖菓子の幸運が味方してくれている。

確実に彼らの秘密を聞き出すためには、最後に切り札が必要だ。その切り札が今まで見つからず、アンはそのことが不安でならなかった。

しかし、今。切り札を手に入れる可能性が生まれている。

もしアンが先に最初の砂糖林檎の木のありかを見つけられたなら、その場所の情報と引き替《か》えに、ラファルの秘密を聞き出せる。

どちらが先に、見つけるか。一枚のカードを先に取った方が、勝ちなのだ。

——見つけよう。彼らよりも先に、切り札を。運命に勝てる切り札を。

ミスリルの幸運を、無駄《むだ》にすることは許されない。アンは負けられない。

砂糖林檎の木の根元に横になり、エリルは夜空を見あげていた。細い銀灰色《ぎんかい》の枝と緑の葉と熟《う》れきっていない小さな実。その向こうに月がある。

しばらくじっと月を見ていたが、見ているのにも疲《つか》れて目を閉じると、瞼《まぶた》を通して月の光を感じる。白い光はエリルが生まれた雪原を思い出させる。

生まれてはじめてエリルが目にしたのは、雪に半ば埋《うず》もれたラファルだった。薄緑《うすみどり》と薄青《うすあお》の、曖昧《あいまい》な色合いをした髪にも雪が降り積もっていた。

――ラファルは泣いていた。

ラファルは涙《なみだ》を流していた。うれし涙だったのか、悔《くや》し涙だったのか。

驚いて、どうしたのかと尋《たず》ねて、名前を訊《き》いた。彼は人間に追われて城壁《じょうへき》から落ちて、もう自分は助からないと告げ、エリルの兄弟石だと名乗った。そしてエリルに逃《に》げろと言い、必ず妖精王として立ち、人間から妖精の世界を取り戻せと懇願《こんがん》した。

けれどエリルは生まれたばかりで、なにも分からず不安でたまらなかった。

逃げろと言われても、どこへ逃げればいいのか分からない。そして涙を流しながら目の前で消えようとする兄弟石の妖精を、そのまま放置することができなかった。

ラファルはあまりにも、哀《かな》しそうで寂《さみ》しそうだった。

目の前にいる彼だけが、唯一《ゆいいつ》、この世界を生きるためのよすがに思えた。

その時、ぽちゃんと池の方で水音がした。体を起こしてみると、アンが池のほとりに立っていた。彼女は肩《かた》に乗るミスリルと何事か話している。

月光の下で小さな妖精と人間の女の子がひそひそ話をしている景色は、なぜかエリルには幸せそうに見えた。立ちあがって、惹《ひ》きつけられるように彼女の方へ向かおうとした。

「エリル。どこへ行く」

静かに、ラファルが呼び止めた。エリルと砂糖林檎《りんご》の幹を挟《はさ》んで横になっていたラファルは、目を閉じている。

「あそこにアンがいる。行ってくる」

「なぜ行く必要がある」

問われて、エリル自身も首を傾《かし》げた。なぜだろうかと、あれこれアンとのやりとりを思い出してみると、一つ、理由らしい理由があることに気がついた。

「彼女は僕に砂糖菓子《がし》を作ってくれると言ってたけれど、まだもらえていないから。またお願いしてくる」

「おまえが行く必要はない。わたしが命じる」

「自分でお願いした方がいい。そんな気がする。そのほうが彼女、良いものを作る気がする」

ラファルは眉《まゆ》をひそめたが、エリルは歩き出した。

エリルが近づくと、その気配にアンはびくっとして身構えた。しかしエリルだと分かると、ほっとしたように微笑《ほほえ》んだ。

「エリル。どうしたの」

「アンこそ、なにしているの？　砂糖菓子は作ってる？」

「砂糖菓子は作ってるけれど、まだ完成してないの。ラファルの分」

「ああ、そうか……また忘れていた。僕の分は、作れない」

アンはまず、ラファルのために砂糖菓子を作るべきなのだ。それを思い出すと、途端《とたん》に気持ちが沈《しず》んだ。そのことで、自分は砂糖菓子が欲しくてたまらないのが自分でよく分かった。

——ラファルのために作ってもらわなくちゃいけないから。僕は食べられない。

エリルの表情の変化に気がついたのか、アンが気遣《きづか》うように言った。

「今からラファルの分を作るから。その次はあなたに」

「ううん。次もラファルのために作って」

意地を張るように、頑《かたく》なに首を振《ふ》った。

「そんなにラファルに、砂糖菓子をあげたいの？　どうして」

「僕が……彼のものを奪《うば》ったから」

答えると、アンは目をしばたたいた。

「どういうこと？」

「あなたは、知らなくてもいい」

すねる口調になった。自分よりもラファルのために砂糖菓子を作って欲しいのは本心だったが、それで自分が、砂糖菓子の甘さを味わえないのが残念すぎる。だから八つ当たり気味にアンに言った。

「あなたは、なにも知らなくていい。ただラファルのために作って。他《ほか》の誰《だれ》のためにも作らないで。シャルのためにも、ミスリルのためにも作らないで。シャルは全然優《やさ》しくないし、ミスリルはもうすぐ死んでしまうんだし」

その言葉に、アンの表情が変わった。ミスリルがアンの肩の上で、しゅんと項垂《うなだ》れた。しかしエリルはかまわずに続けた。

「優しくない者になんか作らないで。死んでしまう者に、無駄に作らないで。それよりも……」

続けようとしたら、突然左頬《とつぜんひだりほお》に衝撃《しょうげき》が来た。驚《おどろ》いて、一瞬《いっしゅん》何が起こったのか分からない。

「アン⁉」

ミスリルが驚いたように声をあげたが、エリルもびっくりして衝撃が来た頬を手で押さえた。アンがエリルを睨《にら》みつけている。彼女にひっぱたかれたのだと、ようやくエリルは理解した。

「……ひっぱたいたの？」

呆然《ぼうぜん》と訊くと、アンはエリルを睨《ね》めつけながら答えた。

「ひっぱたいたわよ。あなたは、ひどいことを言ったから」

なぜかひっぱたいたアンの方が、目を潤《うる》ませていた。震《ふる》える声で、彼女は続けた。

「誰に作るのかは、わたしが決める。わたしが作るんだもの。そうでしょう？　ラファルに作るのだって、わたしが彼に作ろうと決めたから作るの。脅《おど》かされて強制されているから作るの

じゃない。彼の持っている秘密を知りたいから、取引として作る。それはわたしが決めた事よ。その他のことで、わたしが作るものについて、あなたがとやかく言う筋合いはあるの？」

言われてみれば、確かにそうだと分かる。けれどエリルはただなんとなく苛々《いらいら》して、適当に無茶《むちゃ》を言ってみただけなのだ。

「あなた、だだっ子みたい。なんにも考えてないし、なにも分かってない。シャルは優しいし、ミスリル・リッド・ポッドは死んだりしない。ひっぱたいたのが気に入らなければ、わたしを殴《なぐ》ればいいし、あなたの剣《けん》で脅せばいい。けれど今のは、絶対にあなたが悪い」

真っ正面から挑《いど》まれて、エリルはさらに面食《めんく》らった。しばらく見つめ合っていると、少しずつ驚きが去っていく。それとともにエリルは項垂れた。

――シャルだけじゃなくて……アンにもひっぱたかれるなんて。

しゅんとして、気持ちがしぼんだ。

自分はなぜ、これほどひっぱたかれなくてはならないのだろうか。

ラファルならば、絶対にエリルをひっぱたいたりしない。シャルにひっぱたかれたときは、彼は元来優しくないのだからしかたないような気もした。けれどアンは、あんなに甘く優しい砂糖菓子を作っている優しい人だったし、最初からエリルにも親切だった。

その彼女が怒《おこ》って、自分をひっぱたいたのは衝撃だった。自分にはシャルやアンにひっぱたかれるだけの理由があるのだろうということが、はっきりとわかった。

「……ごめんなさい」

自然と、口から言葉が出た。

すると今度はアンの方が驚いた顔をして、怒《いか》りの表情を消していく。その変化が、まるで魔《ま》術《じゅつ》のような気がした。けれど自分はどんな魔術も使っていない。ただ謝っただけだった。

「なにが悪いのかは、僕はよく分からない。けれどあなたを怒らせたのだから、なにかが悪かったのは分かる」

そう告げるとアンは、仕方がないというように苦笑《くしよう》した。

「いいよ。わたしもひっぱたいて、ごめんね……」

自分とアンのなにかがぶつかり合って、弾《はじ》けて、溶《と》けた。そんな気がして、言いようもなく不思議な感覚にとらわれる。

ラファルは、エリルに優しくしてくれる。髪《かみ》を撫《な》でてくれるし、優しく囁《ささや》いてくれる。けれどどこんなふうに、ラファルと自分のなにかが重なり合ったと感じたことはなかった。

この世には、エリルの知らないことがたくさんあるのかもしれない。

世界は不思議に満ちていて、その不思議は、素《す》敵《てき》にキラキラしているような気がする。

アンは気を取り直すように、明るい声で言った。

「あなたたちが目的の場所を見つけたら、少しはラファルも落ち着くでしょう？　わたしもラファルの秘密を教えてもらったら、落ち着ける。そしたらあなたに砂糖菓子を作るわ」

「本当？」

思わず声が明るくなると、アンは頷《うなず》いてくれた。

「うん。わたしはあなたに作ってあげたいから、作る。約束する。待ってて」

「約束？」

「約束があれば、大丈夫《だいじょうぶ》だ。俺様の国民一号は、嘘《うそ》はつかないからな」

ミスリルがアンの肩《かた》の上で、へへんと胸を張る。

「じゃあ、それまで待つ」

――約束。

その言葉に、エリルは嬉《うれ》しくなった。

「アンは僕のことをひっぱたいたけれど、やっぱり優しい。だけど、シャルは優しくない。彼も僕の頰をひっぱたいたけど、アンみたいに約束なんかくれない」

つい不満が口に出ると、アンが目を丸くした。

「シャルもエリルをひっぱたいちゃったの!?　どうして」

「理由を訊《き》いたら、馬鹿《ばか》だからだって」

答えに、アンが思わずのように吹《ふ》き出した。エリルはちょっとむくれた。

「何がおかしいの」

「だって、わたしもよくシャルには、馬鹿って言われてるから。同じだと思って。他になにか

「言ってなかった？」

「無闇に戦うなって怒鳴られた」

「エリル。シャルは優しいから、あなたのことひっぱたいて、馬鹿って言うのよ。無闇に戦うと、戦いが戦いを呼んで、どんどん追い詰《つ》められちゃう。だからそうなって欲しくなくて、あなたを守りたいから、馬鹿って言うのよ。シャルはそんなことまで、説明しないだろうけど」

ミスリルはアンの肩の上で、うんうんと頷く。

「あいつは、あんまりごちゃごちゃ喋《しゃべ》らないからな。始末が悪い」

「彼が優しいの？　よくわからない」

「考えてみて。自分の頭で、ゆっくりでいいから」

すっとアンが、エリルの頰に手を伸《の》ばした。シャルとアンに打たれた場所を、彼女の甘い香《かお》りがする指が優しく撫でてくれた。

「考えて。ゆっくり」

——アンは、シャルと同じ事を言う。

エリルはすこし驚いた。シャルはエリルをひっぱたき、突《つ》き放した。

アンはひっぱたいた上に、優しく頰を撫で、穏《おだ》やかに話をして約束をくれる。

けれど彼らの言っていることは同じだ。

——自分で考える？

二人から二度も言われて、エリルははじめて気がついた。

自分はいつも、何を考えていただろうか。

常にエリルが捕《と》らわれているのは、ラファルと一緒《いっしょ》にいたい、ということばかりだ。そのために彼を追い、戦い、旅をして、怒っていた。他のことを考える気すらなかった。

「わたしたち、もう行くね。作業しなくちゃ」

アンが歩き出したので、エリルは慌《あわ》てて呼び止めた。

「待って、アン」

立ち止まり振《ふ》り返ったアンに、エリルは尋《たず》ねた。

「考えれば、なにかいいことでもあるの？」

「う～ん……。特には、ないかも……」

アンは困ったように夜空を見あげてから唸《うな》った。

「ないの？」

がっかりしそうになるが、彼女は笑って付け加えた。

「でも、自分の進むべき未来は変わるかも。いいか悪いか、分からないけど」

それだけ言うと、手を振って再び歩き出した。その肩の上でミスリルが振り返り、にかっと笑った。

「言っとくけど、俺様は絶対死なないからな。アンのために」

アンとともに去って行くミスリルの後ろ姿を見つめて、エリルはやっと、自分の何が悪かったのかを理解した。懸命《けんめい》に生きようと努力しているミスリルに、無慈悲《むじひ》なことを言ったからだ。だからアンは、ミスリルのために怒ったのだ。

目の前の霧《きり》が晴れ、すこし視界が開けた気がする。自分が霧の中にいることすら、エリルは自覚していなかった。けれど今エリルは、自分の周囲には深い霧が立ちこめているのが分かる。

その霧はエリルには理解できない世界の構造や人の思いだ。その霧を晴らす方法は、自分自身の頭で考えることなのかもしれない。

霧が晴れれば、見えないものが垣間見《かいまみ》える。

するとその先にあるのは、なんだろうか。

——それが未来？

考えたこともなかった。今までエリルは、ラファルとずっと一緒にいる、ということしか頭になかった。だから未来という言葉そのものが、新鮮《しんせん》だった。未来とはなんだろうか。ラファルとともに一緒にいる、未来。未来というのは、それだけのものだろうか。

——違《ちが》う。

もっとなにか、漠然《ばくぜん》とした大きなもののような気がする。

考え込みながら、エリルもラファルのところへ帰った。砂糖林檎《りんご》の木を挟《はさ》んで、ラファルの横になっているとなりに寝転《ねころ》ぶと目を閉じた。

「ラファル。起きている？」

「起きているよ。どうしたエリル」

「ここに本当に、人間の手が届かない場所があるの？」

まず一番にそれが知りたかった。アンは「約束」をくれたが、ここに自分たちの目的の場所がなければ、それは果たされないだろう。

エリルは食べてみたかった。砂糖菓子《がし》という、もろくて美しくて甘いお菓子を。

「あるはずだ。そこさえ見つけられれば、そこに妖精《ようせい》を集め、力を蓄《たくわ》え、今度こそ人間たちに対抗《たいこう》することができる。おまえは妖精王として妖精の王国を取り戻《もど》せる」

月を見あげながら、優《やさ》しく、魅惑《みわく》的な笑《え》みを浮《う》かべてラファルは語っているはずだ。

幾度《いくど》となくラファルは、エリルは妖精王だと告げ、妖精の国を取り戻すべきだと言っている。

「戦え、エリル」

ラファルは、シャルと逆のことを言う。

——二人の言葉は、なぜ違うんだろう？

なぜという疑問が、自分の周囲に渦巻《うずま》いていることを意識する。なぜ今までそのことに気がつかなかったのかと不思議なほど、たくさんの疑問がある。

今のエリルに明確に分かるのは、ただ一つのことだけだ。

「僕は、追われることもなく、捕らえられることもなく生きる場所が欲しい。今は、それだけ。

そこにあなたと行ければ、他《ほか》はどうでもいい。僕はあなたと一緒にいたいだけ」

　自分が分かっていることを正直に言うと、ラファルが起き上がった気配がした。こちらを覗《のぞ》きこんでいるようだが、エリルは目を開けなかった。

「何度も言って聞かせているだろう？　エリル。おまえは妖精王だ。他の妖精たちとは違う。妖精の王国を取り戻すために生まれた者だ。そのためには人間と戦う必要がある」

「王とは、どんなもの？」

「民《たみ》を率いて民を守り、国を守る者だ」

「ではミスリル・リッド・ポッドは、王だね」

　ぷっと、ラファルは吹き出した。

「あれはたわごとだ」

　けれどアンを国民だと言って、彼女のために立ちはだかった彼は、今ラファルが告げた王そのものだった。もしエリルが王であるならば、彼のような王になりたい。

「違うよ」

　きっぱりと、エリルは答えた。

「彼は、王だ。少なくとも、アンにとっては」

　考えたことを口にすると、ラファルがいぶかしむように沈黙《ちんもく》した。しばらくして探《さぐ》るように、しかしいつもの彼らしく柔《やわ》らかく甘い声で問いかけてきた。

「どうした、エリル？　なにかあったのか」

無意識に、エリルは頰《ほお》に触《ふ》れた。シャルに打たれ、アンが優しく触れた場所だ。

「なにもないよラファル。ただ僕は……少しだけ、考えた。それだけ」

たくさんの疑問がエリルの周囲に押し寄せている。自分の掌《てのひら》に、一瞬《いっしゅん》一瞬、転げこんでくる疑問。それらをアンが言うようにゆっくりと考えていったら、その先に未来というものが現れるのだろうか。

翌日から、エリルはラファルとともにこの砂糖林檎の林を歩き回った。しかしなにも見つけられなかった。三日も経《た》つと、ラファルは目に見えて苛立《いらだ》ってきた。

エリルは半ば諦《あきら》め、この場所を離《はな》れてもっと遠くへ行くことばかり考えはじめた。

ここに、自分たちの求める場所はないだろう。

ただここで目的の場所が見つからなければ、アンの約束も果たされず、エリルは砂糖菓子を食べられなくなる。それはひどく残念だった。

だがアンは、少し違っているようだった。彼女はラファルの求めに応じて、常に銀砂糖に触れ、砂糖菓子を作り続けていた。だが暇《ひま》を見つけては、砂糖林檎の林を見て回っていた。

彼女はここに必ず、なにかがあると確信しているようだった。

シャルもまた確信があるらしく、諦める様子はなかった。

ミスリルは、目に見えて弱っていた。けれどアンの砂糖菓子作りの手伝いを休まず、アンに気遣《きづか》われると必ず「俺様は大丈夫《だいじょうぶ》だ」と息巻いてみせる。

ラファルの執着《しゅうちゃく》も苛立ちも。アンの懸命さも、シャルの辛抱強《しんぼうづよ》さも。ミスリルの強がりも。

すべてが不思議に思えてきた。

自分を含《ふく》め、この場所に集《つど》った妖精と人間は、なぜこの場所に来る必要があったのか。そして何を考え、何を求めているのか。自分の心の中を覗きこむのと同時に、エリルは、ラファルと、アンたちの言動をしっかりと見つめようと努力していた。そして彼らの言葉や行動の意味を、考えようとした。

未来が、見えるかもしれないと思えた。


この場所に到着《とうちゃく》したときには、砂糖林檎の実は緑で、石のように堅《かた》かった。

しかし八日目にはふっくらと一回りも大きくなり、実の頭の方はうっすらと紅をさしたように変化している。銀灰《ぎんかい》の枝を揺《ゆ》らす風も冷たくなり、急激に秋が深まっているのを感じさせた。

アンは一日のほとんどを、箱形馬車の荷台の中で過ごしている。

彼女はラファルの求めに応じて、砂糖菓子を作り続けているのだ。それだけならまだしも、唯一《ゆいいつ》の休憩《きゅうけい》時間であるはずの食事もそこそこに済ませ、最初の砂糖林檎の木を求めて林を歩き回る。そして夜は、気を失ったように少しだけ眠《ねむ》る。

それを制止するのも、また酷《こく》だろうと思えた。

ミスリルは日増しに弱っている。砂糖菓子ではもう追いつかないのだと、アンも悟《さと》っているのだ。そしてシャルもまたそれを感じているから、砂糖林檎の林をくまなく探し回るしかない。

——あと、どのくらいミスリル・リッド・ポッドはもつ？

よくて、あと三日。下手《へた》をすれば、今夜か明日にでも消えかねない。

だが消えるその瞬間《しゅんかん》まで諦めたくなかった。

シャルは妖精の仲間と、長い時間過ごした経験がなかった。生まれて十五年間はリズと過ごし、その後は一人で彷徨《さまよ》っていたのだから当然だ。妖精の仲間と過ごす時間は、最初は面倒《めんどう》で、うんざりしていた。特にミスリルは、騒《さわ》がしくて迷惑《めいわく》で、頭痛の種になることばかりしてくれた。ずっとうんざりし続けているはずなのに、消えて欲しくなかった。

一本一本の砂糖林檎の木に触れる。葉を撫《な》で、実の香《かお》りをかぎ、幹を撫で、ほかと違った感覚がないかを確かめる。

焦《あせ》りは募《つの》る。だが見つからない。

「どこだ」

呻《うめ》くようなラファルの声が聞こえ、シャルは足を止めた。砂糖林檎の木立の中に、立ち尽《つ》くしたラファルの後ろ姿が見えた。エリルは近くの砂糖林檎の木の根元に座っていたが、ラファルを見あげ、すこし哀《かな》しそうな目をして立ちあがった。

「ねぇ、ラファル。もう、ここを離れよう」

エリルはいたわるようにラファルの肩《かた》に触れる。顔をあげたラファルは険しい表情だった。

「ここを離れ、どこへ行く」

「探せばいいじゃない。自分たちの手で安全で安心な場所を見つける」

「おまえは知らない」

ラファルは空を見あげて歯を食いしばる。

「この王国のどこへ行こうとも、人間どもはいる。そして我々を狩《か》る。安全な場所などない……そうだろう。シャル・フェン・シャル」

背中越《ご》しに訊《き》かれた。シャルがそこにいることに気がついていたらしい。

「そうだ。どこにも、妖精《ようせい》が安心できる場所はない。それを作るために、今、ルイストンで銀砂糖妖精を育てる計画が進んでいる。技術を身につけて人間と対等に働き、人間の中で居場所を作る。そしてそれを足がかりに、妖精が人間と対等に生きる仕組みを作る」

くっとラファルは笑って、振《ふ》り返った。背にある羽が、苛立ったような薄《うす》金の揺らめきを纏《まと》う。

「作る？　何年かかると思っている？」

「少なくとも、五百年以上は必要だろう」

その答えに、ラファルは声をあげて笑った。

「夢物語だな！　シャル。それよりも、五百年間人間が見つけられなかった場所を探し当てる方が、よほど楽だろう」

「でも、そんな場所は本当にあるの？　ここに？　あるとは思えないよ」

エリルが首を振った。

周囲の砂糖林檎《りんご》を見回し、シャルは断言した。

「ある。必ず」

「どうしてそう言えるの」

「最後の銀砂糖妖精ルル・リーフ・リーンは、確証なくあんなことは言わない」

その時だった。馬の鼻息があらぬ方向から聞こえ、三人ははっとした。

砂糖林檎の林と普通《ふつう》の森の境目辺りに、馬に乗った州兵が二人、こちらを発見して驚《おどろ》いた顔をしている。

――追っ手か！

八日前に足止めした州兵たちは、いったん州城へ引き返したはずだ。しかしその後、再びラファルたちの姿を求めて捜索《そうさく》隊を四方へ放ったのだろう。

州兵たちは馬首を返し、森へ向けて駆《か》け去ろうとした。

逃《に》がしてしまえば、すぐに部隊がやってくる。彼らを行かせてはまずい。

ラファルが身を翻《ひるがえ》し、自分の栗毛《くりげ》馬を繋《つな》いでいる場所へ駆けた。シャルはそれを追って、ラファルが馬の綱《つな》を外したところを横合いから手綱《たづな》を奪《うば》った。

「俺が行く」

眉《まゆ》をひそめるラファルにかまわず、シャルは馬に飛び乗った。馬をなだめ、シャルは軽く馬の腹を蹴《け》り、アンの箱形馬車に駆け寄った。馬上から荷台扉《とびら》を叩《たた》くと、すぐにアンが顔を出す。

ここ数日で、もともと細い手足がより細くなった気がする。

「どうしたの？」

「追っ手だ。捜索隊の州兵に見つかった」

さっとアンの顔色が変わるが、シャルは安心させるように頷《うなず》いた。

「食い止める」

アンの肩越《かたご》しに荷台の中が見えた。作業台の上にミスリルがちょこんと座って、色粉の瓶《びん》を抱《だ》きかかえてぼんやりしている。シャルがやってきたことにも、気がついていないらしい。

その様子に胸をつかれた。

「日が沈《しず》むまでには、帰る」

告げると再び強く馬の腹を蹴り、馬を走らせた。徐々《じょじょ》に速度を上げながら、体を伏《ふ》せてさらに速度を上げる。

人間に比べて、妖精は三割ほど体重が軽い。馬の負担が少ない分、よく走る。先を行く州兵たちに追いつくのは、不可能ではない。

左右に森の景色が流れる。薄く色づいた黄色と緑の葉が混在する、柔《やわ》らかな秋の光の中を疾《しっ》走《そう》する。

アンとミスリルを残していくのは、すこし不安だ。

だが、ラファルが州兵を追えば確実に彼らを殺す。これ以上、殺させてはならない。彼が殺せば、彼とともにいるエリルもまたおなじ危険な妖精と見なされる。

――追いついて、捕《つか》まえて。馬を逃がすのが得策だ。

馬がなければ、近くの村へ辿《たど》り着くまでに丸一日はかかるだろう。そこから州城へ連《れん》絡《らく》を入れて、部隊が整い、こちらにやってくるまでに三日。合計四日間の時間が稼《かせ》げる。

四日で充分《じゅうぶん》だった。

おそらく三日以上は、ミスリルが持たない。

もしミスリルが消えてしまえば、四日目に押し寄せてくる州兵にラファルを引き渡《わた》せばいい。

エリルは逃がしてやりたいが、もし、彼がラファルとともに戦うようであれば、シャルは彼ら二人ともう一度戦わなくてはならない。

さらに馬の腹を蹴った。急がねばならない。砂糖林檎の林へ一刻も早く帰り、また最初の砂砂糖林檎の木を探さなくてはならない。無駄《むだ》な時間は過ごせない。

ミスリルの時間は、ほとんど残っていない。


シャルが州兵を追って駆け出す姿を見送ると、心細くなった。

ラファルは砂糖菓子《がし》を必要としているので、すくなくとも目的の場所を見つけるまではアンを殺すことはないはずだ。エリルも無闇《むやみ》にアンに手を出すことはない。それは分かっているのだが、本能的な恐怖《きょうふ》はどうしようもない。州兵を追うシャルのことも気がかりだ。

荷台の中を振り返ると、ミスリルが作業台の上でぼんやりと色粉の瓶を抱《かか》えて座っている。動かないし、アンとシャルが会話をしたことにも気がついていない。羽の先が薄く輝《かがや》いて、空気に滲《にじ》んでいるように見える。

アンは唇《くちびる》を噛《か》んだ。こんな状態のミスリルを目の前にして、アンは砂糖菓子を作ることしかできない。時々、ラファルの目を盗《ぬす》んで小さな砂糖菓子をミスリルには食べさせていたが、それではもう、すこしの回復もしない。

――わたしも、最初の砂糖林檎の木を探す。

アンは思い切って、もう一度荷台の扉を開けてステップに足をかけた。

するといきなり、荷台の陰《かげ》からラファルが現れた。目の前に立ちふさがられ、ステップの上でアンは動けなくなった。曖昧《あいまい》な髪《かみ》色と曖昧な笑顔《えがお》で、彼はアンを見あげている。

「どうした銀砂糖師」

「わたしも、最初の砂糖林檎の木を探したい」

「おまえは砂糖菓子を作れ。探すのは、わたしたちがする」

「でも」

「聞こえなかったか？　作れ、と言ったんだよ。わたしは」

苛立《いらだ》ったような笑顔で小首を傾《かし》げてみせる。その笑顔の裏にある憎悪《ぞうお》と殺意に、ぞっとした。

「わかった……」

アンは荷台の中へ引っ込んだ。悔《くや》しくて、拳《こぶし》を握《にぎ》る。

こうなれば、無駄を承知でミスリルのために砂糖菓子を作っているしかない。そうすれば日が沈む前に、シャルが帰って来てくれる。彼がアンのかわりに、最初の砂糖林檎の木を探してくれる。彼にならば信頼《しんらい》して任せられる。

箱形馬車の中で作業を続けていると、高窓から射《さ》しこむ光がオレンジ色に変化してきた。目をあげると、空は薄桃色《うすももいろ》の夕焼けだった。

それを確認《かくにん》するとほっとした。シャルは日が沈むまでには帰ると約束してくれた。もうすぐ彼が帰る。

再び手元の銀砂糖に視線を戻《もど》すと、手を動かす。

――最初の砂糖林檎《りんご》の木はあるはず。運命に勝つための切り札が、ここに隠《かく》されてる。

薄くのばした銀砂糖を花びらの形に切り出して、それを幾重《いくえ》にも重ねて花を作っていた。

ミスリルはまだ、ぼんやり座っている。昨日からずっとこんな状態だ。

三日前までは作業台の上をちょこちょこと行き来しつつ、作業を手伝ってくれていた。

だが日ごとにその動きはゆっくりになり、座りこむのもしばしばだった。アンが休むようにすすめても、

「俺様は銀砂糖師の助手で王様だから、国民の労働は手伝うんだ」

と、胸を張って答えて、また立ちあがる。休めとすすめる度《たび》に無理に立ちあがるので、とうとう休めとも言えなくなった。

そして昨日から、こんなふうになってしまったのだ。

――どこにあるの？　ほとんどの場所は、もう見つくした。

ラファルの苛立ちも、そこにあるのだろう。くまなく砂糖林檎の林を探しても、見つからないのだ。しかしそれ以外にも、ラファルの苛立ちの原因はある。

それはラファル自身の力が回復しないことだった。彼は砂糖菓子を食べる度に、一人砂糖林檎の林の奥へ行き両の掌《てのひら》をじっと見つめていた。アンはその様子を見て、ぴんと来た。彼は彼の本来の能力である、あの銀赤の糸の刃《やいば》を作り出そうとしているのだ。しかし彼の掌に銀赤の

光の粒《つぶ》が集まることはなく、諦《あきら》めたように掌をおろす。

小さくとも、あれだけアンの砂糖菓子を食べて、回復の兆《きざ》しすらないのが奇妙《きみょう》だった。

——あれもラファルの秘密と関係しているのかもしれない。

物思いにふけり手が止まった瞬間《しゅんかん》、作業台に並べていた色粉の瓶が一斉《いっせい》に倒《たお》れた。

驚いて見やると、ミスリルが色粉の瓶に埋《うず》もれるように倒れていた。

「ミスリル・リッド・ポッド!?」

駆け寄って掌にすくい取ると、ミスリルはぐったりしていた。ひどく薄《うす》くなってしまった羽が、氷のように冷たい。

ミスリルは、ゆっくり目を開けた。

「ああ。アン。俺様、ちょっと疲《つか》れたみたいだ」

「そう、ね」

声が震《ふる》えるのを抑《おさ》えつけて、微笑《ほほえ》んで見せた。

——笑わなきゃ。

二年前、エマがどんどん弱っていく姿を見ていたアンは、最初、べそべそとことある毎《ごと》に泣いた。けれどある時エマが、本当に困ったような顔をして言ったことがある。

『泣かないで、アン。笑ってよ。泣かれると余計に、ママはつらいの。ママは今とてもつらいから、これ以上つらくさせないで』

はじめて、エマの口から出た弱音らしい弱音だった。元気で強気が取り柄《え》のエマの口から出た初めての弱音に驚《おどろ》いて、自分が恥《は》ずかしかった。

それを聞いてからアンは、けして泣くまいと努めた。つらいのはママの方だと自分に言い聞かせて笑った。するとエマも、やっとすこし笑ってくれた。

「一緒《いっしょ》に休もうか。ミスリル・リッド・ポッド」

ミスリルを両掌で大事に運んで、荷台を降りた。御者台《ぎょしゃだい》の上には草を敷《し》き詰《つ》めたミスリル用の寝床《ねどこ》があったので、アンはそこにミスリルを寝《ね》かせた。ミスリルはこの寝床を、自分で用意した。下草や砂糖林檎の小枝、砂糖林檎の葉を集めてきて、小鳥の巣のように丸く作り、小さな秋の草花を毎日飾《かざ》っていた。昨日と今日、ミスリルは草花を飾る元気がなく、花は枯《か》れていた。だから昨日と今日は、アンが花を飾った。白とオレンジの、秋の可愛《かわい》い花で一杯《いっぱい》にした。

横になったミスリルは、長いため息をついた後に口を開いた。

「なぁ、アン。おまえ、シャル・フェン・シャルに返事をしたのか？」

ここに到着《とうちゃく》してから、そんなことはすっかり忘れていた。シャルも、アンをからかうそぶりを見せることがなかった。二人とも、ミスリルのための最後の切り札を探して必死だった。

「ううん、まだ」

「早く返事しろ。シャル・フェン・シャルが好きでたまんないって」

「できない……」

あまりにもミスリルの声が弱々しいので、思わず涙声《なみだごえ》になる。こんなに弱っているのに、まだアンとシャルのことをあれこれ気にしているのが、あまりにもミスリルらしい。

「わたしは人間で、シャルは妖精《ようせい》で。わたしはシャルを置いて、先に年を取って死んでしまう。そうしたらシャルはまた前と同じに不幸になって、王国を彷徨《さまよ》うかもしれない」

「じゃあ、アン。おまえ、俺様がこんなになるの知ってたら、俺様なんかと一緒にいたくなかったか？　俺様がアンより長生きしないって知ったら、友だちを辞《や》めてさようならしたら幸せだったか？」

「そんなわけない！」

御者台の縁《へり》に手をかけて身を乗り出す。

「わたしより長生きでも、そうでなくても、関係ない！　ずっと一緒にいたい！　置いて行かれたら寂《さみ》しくてつらいけど、だからってミスリル・リッド・ポッドと離《はな》れるなんて、絶対したくない！　どうしようもない別れが来るまででも、一緒にいられる方が幸せよ！」

「ほらな」

にこっと、ミスリルが笑って親指を立てた。

「今の俺様が、アンだ。そしてアンが、シャル・フェン・シャルだ」

「あ……」

ミスリルの言葉が、混乱したアンの思考にまっすぐ入った。驚くほど単純だったから、それは深く鮮明《せんめい》に突《つ》き刺《さ》さる。

なぜこんな単純なことに気がつかなかったのだろうか。

「簡単なことだろう？　アン。ほんとうに、呆《あき》れるくらい……かかし頭だよな」

――わたしは本当に、かかし頭の馬鹿《ばか》だ。

もし本当に相手のことが大好きならば、たとえ自分が広い世界に取り残されても、その人と一緒《いっしょ》にいられるだけの時間一緒にいたい。

――わたしは、ミスリルと一緒にいた時間を後悔《こうかい》なんかしてない。不幸だなんて思わない。

今ならよく分かる。なにがあってもどんな結果が待ち受けていても、彼と出会い一緒に過ごしたことは不幸なんかではない。それどころか一緒に過ごした時間は、大切な大切な、宝物のような時間だ。そんな宝物を手に入れられたのだ。幸福でないわけがない。

「俺様、もう、時間がないのに。シャル・フェン・シャルはまだなのかな」

ミスリルは目を閉じた。

「アン。……シャル・フェン・シャルが帰ったら、すぐにキスしろ……」

ふわふわと、ミスリルの髪《かみ》の先や羽の先が、銀の細かな光に揺《ゆ》れる。

「待って、ミスリル・リッド・ポッド！　見つけるから、今！　最初の砂糖林檎の木を！」

ミスリルの体を両手で支え胸に抱《かか》えると、アンは駆《か》け出した。

――シャル、シャル！　こんな時に、シャルがいない！

「待って、もう少し待って。ミスリル・リッド・ポッド」

砂糖林檎の林に駆け込むと、池の反対側へ向けて走った。

池のほとりに出ると、最初の砂糖林檎が水面に映った場所が対岸にあるのを確かめる。

目を閉じ、深く息を吸い、吐《は》いた。そして再び目を開くと、ぐっと顔をあげて声を張った。

「ラファル、エリル！　最初の砂糖林檎の木が見つかった！　場所を教える！　ここに来て！　早く！」

砂糖林檎の林の中からエリルとラファルが、別々の方向からやって来た。

エリルは不思議そうに小首を傾《かし》げ、ラファルは疑わしそうな目をしながらも、微笑んでいる。

「見つけたのか？　銀砂糖師。冗談《じょうだん》ではなく？」

「その前に、ラファル。あなたの秘密を教えて」

「おまえが本当に見つけられたかどうか、場所を言うのが先だ」

「あなたが先よ」

「命令できる立場かな？」

「できるわ」

アンは胸に抱えるミスリルの重みを、必死で感じ取ろうとした。まだ彼は、ここにいる。

――わたしの王様は強いから、絶対、運命に勝てる。切り札を持っているのは、わたしたち。

自分にも、強く強くと言い聞かせて、ラファルから視線をそらすまいとした。

「あなたたちは必死でその場所を探しているから、今度はわたしの方が有利だもの。あなたたちにとっては、ラファルの秘密を隠《かく》し通すよりも、場所を知る方が重要なはず」

「おまえがその場所を本当に見つけたという証拠《しょうこ》は？」

「わたしが最後の銀砂糖妖精ルル・リーフ・リーンの弟子《でし》だってことが証拠になるはずよ。彼女は最後の弟子に、砂糖菓子《がし》職人にとっても重要な場所である、最初の砂糖林檎の木の場所を教えてくれた。謎《なぞ》かけみたいで、よくわからなかったけれど。わかったの。今」

さらにたたみかける。

「わたしが砂糖菓子職人だから、銀砂糖妖精は秘密を伝えた。わたしが砂糖菓子職人であることが、秘密の場所を知る手がかりを教えてもらえた証拠。それじゃ不足なの？　わたしを疑って、自分たちで探し続けるの？」

真っ正面から挑《いど》むアンを、エリルはすこし困ったような不思議そうな表情で見つめている。

「なんであなたは、そんなに必死なの？　アン」

あまりに当然のことを訊《き》くので、焦りと興奮のためにかっとして目が潤《うる》む。しかし今、自分の緊張《きんちょう》を途切《とぎ》れさせてはならない。涙《なみだ》を飲み込むようにして怒鳴《どな》った。

「わたしの大好きな人が、今、わたしの手の中で消えかかってるから決まってるでしょう！」

エリルは目を見開く。

「大好きなの？」

「当たり前でしょ！　だから彼を助けるって決めたの！　自分の持てるもの全部使って助ける！　ずっと一緒《いっしょ》にいて、わたしの気持ちが壊《こわ》れるのを助けてくれたんだから、今度はわたしが助けるの！　だから教えて！　わたしが知っていることは全部教えるから！」

秋の夕風が、どっと吹《ふ》き抜《ぬ》ける。砂糖林檎の葉が揺れ、池の水面が揺らめき、桃色《ももいろ》の空と光を映して細かく輝《かがや》く。

ラファルは無表情にアンを見おろしていたが、しばらくするとうっすら笑う。

「……いいだろう。教えてやろう。しかし秘密を明かした後に最初の砂糖林檎の木の場所を教えなかったら、おまえを殺すよ」

「教えるわ。必ず」

すると、エリルがふらりと進み出てきた。近寄ってくると、そっと脅《おど》かすまいとするようにアンの手に触《ふ》れた。強《こわ》ばっているアンの両手に優《やさ》しく触れ、エリルは囁《ささや》いた。

「秘密を見せてあげる。だから、彼の体を下へ置いて」

「あなたもラファルの秘密を知っているの？」

なんの策略かと身構えるが、エリルは首を振る。

「アンが求めているのは、ラファルの秘密じゃない。僕の秘密だ」

「……なに？　どういうことなの？」

「彼を助けたいのでしょう？　なら信じて。彼をそこへ寝《ね》かせて」

銀の瞳《ひとみ》はまっすぐで、その眼差《まなざ》しは色彩《しきさい》こそ違《ちが》え、どこかシャルに似て気高いものを感じる。

――信じよう。

アンはその場に膝《ひざ》をつくと、下生えの上にミスリルを横たえた。彼の体は軽くて、小さくて、羽や髪の先が空気に溶《と》け出すように、きらきらと淡《あわ》く光っている。目を閉じて意識がない。

エリルもまたミスリルを挟《はさ》んでアンの前に跪《ひざまず》く。そして両手をミスリルの上にかざした。

エリルの両 掌《てのひら》から銀色の光がぼんやりと滲《にじ》み出て、まるで細かい宝石を溶かした霧《きり》のようにゆっくりと下りていった。

アンは言葉を失い、その光を見つめていた。

シャルやラファル、エリルが、空気の中から光を集め、剣《けん》の形にしたのは見たことがある。けれど今エリルは、光を自分の掌から出している。その靄《もや》のような光は、意思のあるもののようにミスリルの頬《ほお》に触れ、肩《かた》に触れ、羽に触れる。慰撫《いぶ》するようにまつわりついて、ゆっくりと動く。

「妖精《ようせい》には一つ、特殊《とくしゅ》な能力がある。僕は貴石の妖精だから、鋭《するど》いものを作るのが能力」

エリルが独り言のように口を開く。

それはシャルからも聞いたことがある。妖精はそれぞれに特殊な能力があり、貴石の妖精は基本的に鋭いものを作る能力があると。しかしそれはたいがい、一人に一つの能力だ。

「けれど不思議だね。僕にはもう一つ、能力があった。失われそうな命を繋《つな》ぎとめ、壊れた体を修復する力」

愕然《がくぜん》として、アンはラファルを見やった。空の美しい桃色を映して、ラファルの曖昧《あいまい》な髪色《かみ》はさらに複雑な色味を見せている。彼は微笑《ほほえ》む。

「わたしが命を繋いだのは、彼の能力のおかげだ。だが、その代償《だいしょう》も支払《しはら》った」

そして己《おのれ》の掌を見つめる。

「彼の癒《い》やしの能力は、わたしが生まれ持つ能力を奪《うば》った」

ラファルが、彼の特殊能力である銀赤の糸の刃《やいば》を操《あやつ》れなくなったのは、それが原因だったのだ。彼はアンの砂糖菓子を食べることで、能力の回復を願ったのかもしれない。

しかし奪われた生来の能力は、もはや戻《もど》らないのだろう。

だからラファルは苛立《いらだ》っていたのだ。いくら砂糖菓子を食べても能力が回復しない現実で、自分の力をなくしたことを悟《さと》ったのだ。

「たぶん、これでいいはずだよ」

エリルの言葉に、アンははっと視線を下に向けた。エリルが手を引くと、その下からミスリルの体が現れた。目を閉じて動かない。

「ミスリル・リッド・ポッド……？」

呼んでそっと彼の頰と羽に触れる。羽がほのかに温かみをおびていた。

「……助かったの？」

「たぶんね。彼の体の中にあったほころびを塞《ふさ》いだような気がする。けれどラファルと同じで、自分の能力を失う。それにかなりの時間眠《ねむ》ることになるはず」

「良かった」

体の力が抜けたようになり、へたり込んだ。アンは這《は》いつくばるようにして、ミスリルの体に頬をすり寄せた。

——勝った。

喜びが、静かに胸の内にわきあがってくる。

「良かった……良かった……」

声が震《ふる》え、視界が滲んだ。

——ミスリル・リッド・ポッド。勝った。あなたは運命に、勝ったよ。

砂糖菓子の幸運と、ミスリルの強さが運命に勝ったのだ。


エリルが立ちあがる気配がすると、ラファルの声が降ってきた。

「さあ、銀砂糖師。教えろ。最初の砂糖林檎《りんご》の木はどこにある？」

問われて、アンは顔をあげた。

緊張と興奮から突然《とつぜん》解放され、すこしぼうっとしていた。しかし教えることが約束で、すぐに教えなくてはいけないことは分かっていた。

池の方へ振《ふ》り向くと、アンはまっすぐ自分の背後を指さした。

「あそこに……。あそこにある。二本並んで砂糖林檎の木があるでしょ。あの間に立って、水面《みな》を見《も》おろして。水面にしか映らない、大きな砂糖林檎の木が見える。それがたぶん、最初の砂糖林檎の木よ。ルルはわたしに『見えるのに、見えない』と教えたから。間違《まちが》いないはず」

「水面に見えるだけ？」

エリルが池の向こうを見やりながら、眉根《まゆね》を寄せた。

「それは現実に存在するものなの？」

「いや。存在するはずだ。なるほど」

ラファルは、くすくすと笑い出していた。

「謎《なぞ》かけのような、そんな碑文《ひぶん》を読んだことがある。そこへ行く方法も書かれていた。行けるぞエリル。おまえのための、妖精王のための場所だ。先に池の向こう側へ行っていろ。後から行く」

「なにをするの？」

エリルが不安げに問うと、ラファルは優しく笑ってエリルの髪を撫《な》でた。

「この銀砂糖師にもらうものがある。それをもらったら、すぐに行く」

すこしだけエリルは名残惜《なごりお》しそうな表情をしたが、目顔で行けと促《うなが》され、歩き出した。エリルの姿が砂糖林檎の林の向こうへ消えると、ラファルは微笑んだ。

魅惑《みわく》的な、曖昧な色の髪と笑顔《えがお》。美しい夕焼けの空を背景に、彼はすらりと腰《こし》の剣を抜いた。

驚《おどろ》く間もなかった。

ラファルがアンの方に踏《ふ》みこんで、彼の顔が目の前に見えた時には、お腹《なか》を思い切り殴《なぐ》られたような衝撃《しょうげき》が来た。

──熱い!!

その一瞬《いっしゅん》の後に、お腹が火箸《ひばし》を突《つ》っこまれたように熱くなり、激しい痛みが襲《おそ》った。

声もあげられず、アンは前屈《まえかが》みになった。自分の腹に突き立ったラファルの刃を目にして、全身がぞっと寒くなった。そして痛みが急激に増した。

──痛い。痛い。

耳元で、優しく甘くラファルが囁いた。

「命をもらう。可愛《かわい》い銀砂糖師。おまえが死ねば、最初の砂糖林檎の木の場所を知っている者はいなくなる。誰《だれ》一人、我々を追えない。おまえの作る砂糖菓子《がし》は惜しいが、砂糖菓子職人は掃《は》いて捨てるほどいる。それに……嬉《うれ》しいことに、シャルにとっておまえは唯一《ゆいいつ》の存在だ」

耳に、冷たいラファルの唇《くちびる》が触れる。

「簡単には死なないはずだ。だが期待はしないほうがいい。即死《そくし》はしないが、急所は外していない。痛みと、絶望感に苦しみながら息絶えるだろう。日が落ちる頃《ころ》には、楽になれる。それまで苦しめ」

剣が引き抜《ぬ》かれ、その痛みにアンは悲鳴をあげてその場に横倒《よこだお》しになった。丸くなってお腹を庇《かば》い呻《うめ》いた。両手で押さえた傷口から、血が流れ続ける。指の隙間《すきま》を通る血がひどく熱い。

ラファルのブーツが、下生えを踏んで歩き去るのが見えた。

──息をすると、痛い。痛い。

浅く速く呼吸を繰《く》り返しながら、自分の手を濡《ぬ》らす血の感触《かんしょく》に、全身が冷たくなってくる。恐怖《きょうふ》がのしかかる。

下生えの草葉の向こうに、ミスリルの姿が見えた。彼が無傷そうなのを見てほっとするが、視界が滲む。痛みのためか、生理的な涙《なみだ》があふれる。

死を強く意識した。

──シャル。

必死に呼んだ。

──早く帰ってきて、シャル。

シャルに会いたくてたまらなかった。

今すぐ会いたい。死んでしまったら、会えなくなる。その前に一目でも会いたい。そして伝えたい。シャルのことがずっと大好きで、大好きでしかたなかったのだと。ミスリルが教えてくれたから、アンはもう迷うことなくシャルにそう言える。

──わたしやっぱり馬鹿《ばか》だ。教えてもらうまで、気がつかないなんて。

シャルに愛《いと》しいと囁《ささや》いてもらったときにすぐに頷《うなず》いていれば、短い時間でもシャルと幸せな恋人《こいびと》同士になれたかもしれないのに。

もう遅《おそ》いとも思うけれど、気持ちを伝えることなく会えなくなるのはいやだった。

だから、早く会いたい。

周囲が薄暗《うすぐら》くなっていくのは、日が傾《かたむ》いたからだろうか。それとも、アンの視界が暗くなっているのだろうか。よくわからなかった。

目を開けているのがつらくなり、瞼《まぶた》を閉じた。全身が寒い。自分が震えているのが分かる。

「アン！」

声がした。

待っていたシャルの声に、歯を食いしばっていた口元がほころぶ。強い腕《うで》に上半身を抱《だ》きあげられたが、痛みは感じなかった。体が冷たくて痺《しび》れているようだ。

「誰がやった⁉　ラファルか⁉　アン！」

目を開けると、シャルの綺麗《きれい》な黒い瞳《ひとみ》が見えた。周囲が暗闇《くらやみ》でなくて良かったと思う。シャルの顔を見つめられる。シャルになにか訊《き》かれている気がするのだが、うまく思考に繋《つな》がらなかった。ただ会えたことが嬉しかった。自然と微笑《ほほえ》んでいた。

「シャル……。ミスリル・リッド・ポッド……助かったよ」

「口をきくな！」

ひどく息苦しくて、考えがまとまらず、何を言えばいいのか分からなかった。

自分は、なにか言いたかった気がする。何を言いたかったのかと、考えもまとまらないうちに口を開いていた。

「シャル。……好き」

考えなくても言葉が出た。

口に出してみてやっと、それが自分が一番言いたかったことだとわかった。

「大好き。言いたかったの、大好き。だから……」

「口をきくなと言っている！　すぐに医者のところに連れて行く！」

抱《だ》きすくめられると、草木の香《かお》りに似たシャルの香りがした。その香りに包み込まれたようで、ほっとする。体に力が入らないので、彼の胸に頭を預けた。

アンは分かっていた。もう、間に合わないだろうと。それはシャルも同じはずだ。医者のところへ連れて行くと言いながら、シャルが動けないでいるのがその証拠《しょうこ》だ。

「だから……恋人にしてほしいの……」

「こんな時に、馬鹿か!!」

「……お願い」

シャルはさらに強くアンを抱きしめてくれた。それがシャルの返事で、彼の気持ちだとわか

り、信じられないほど幸せだった。

かかし頭を恋人にしてやってもいいと、シャルが無言で答えてくれている。

自分がシャルの恋人になれるなんて、夢のようだ。

かすむ視界の中でも、シャルの綺麗な瞳をしっかり見たかった。目が合った。

シャルはアンの頰《ほお》に優《やさ》しく手を添《そ》え、口づけた。シャルの冷たい唇を、唇に感じる。彼の唇がわずかに震えているようだ。

——シャル。大好き。

愛しさがあふれる。幸福感が全身に満ちる。

——大好き。

もう目を開けていられなかった。目を閉じても、温かい吐息《といき》を唇に感じる。

暗闇の中で、砂糖林檎《りんご》の葉が風に揺《ゆ》れる音を聞く。それを最後にアンの意識は途切《とぎ》れた。

あとがき

皆様《みなさま》、こんにちは。三川みりです。

今巻から、砂糖林檎《りんご》編がはじまりました。今回の見所は「初○○」シーンです。最後まで読んでいただければ、○○に入る文字は分かっていただけるかと。まあ、状況的《じょうきょうてき》にはそれどころじゃないだろうというくらい大変なのですが……。

とりあえず今回も楽しんでもらえればいいな、と思います。

さて。『シュガーアップル・フェアリーテイル』も、今巻で十巻目となりました。

作品を一緒《いっしょ》に作りあげていただける担当様。

美しい挿絵《さしえ》で、このシリーズを『シュガーアップル・フェアリーテイル』という作品として成立させてくださっている、あき様。

その他《ほか》にも、本を作るにあたり力を尽《つ》くしていただいている皆様。

さらに最も大切な、この本を手に取り読んでくださる読者の皆様。

すべての方々に、心から感謝しています。本当にありがとうございます。

そしてこれからも、よろしくお願いいたします。

三川　みり

「シュガーアップル・フェアリーテイル 銀砂糖師と水の王様」の感想をお寄せください。
おたよりのあて先
〒102-8177 東京都千代田区富士見2-13-3
株式会社KADOKAWA 角川ビーンズ文庫編集部気付
「三川みり」先生・「あき」先生
また、編集部へのご意見ご希望は、同じ住所で「ビーンズ文庫編集部」までお寄せください。

シュガーアップル・フェアリーテイル 銀砂糖師《ぎんさとうし》と水《みず》の王様《おうさま》

三川《みかわ》みり

角川ビーンズ文庫 17623

平成24年10月1日 初版発行
令和5年6月5日 4版発行

発行者――――山下直久
発 行――――株式会社KADOKAWA
〒102-8177 東京都千代田区富士見2-13-3
電話 0570-002-301(ナビダイヤル)
印刷所――――株式会社KADOKAWA
製本所――――株式会社KADOKAWA
装幀者――――micro fish

●お問い合わせ
https://www.kadokawa.co.jp/ (「お問い合わせ」へお進みください)
※内容によっては、お答えできない場合があります。
※サポートは日本国内のみとさせていただきます。
※Japanese text only

ISBN978-4-04-100502-6 C0193 定価はカバーに明記してあります。 ◆◇◇